D1480324

Hessen von oben

Hesse from above

La Hesse vue du ciel

Matthias Eberhardt / Gerhard Launer

Hessen von oben

Hesse from above / La Hesse vue du ciel

Ellert & Richter Verlag

Inhalt | Contents | Sommaire

Die Erlebnisregion Edersee ist ein Eldorado für Freizeit- und Urlaubsvergnügen inmitten der reizvollen Mittelgebirgslandschaft des Nationalparks Kellerwald-Edersee. Der 27 Kilometer lange Edersee entstand durch den Bau der Edertalsperre.

The Edersee discovery region is a paradise for recreation and holiday fun amidst the delightful central mountain scenery of the Kellerwald-Edersee National Park. The 27-kilometre-long Edersee lake was created when the Eder Valley dam was built.

Au beau milieu du splendide paysage se dégageant des montagnes moyennes du Parc national de Kellerwald-Edersee, la «Région-Evasion Edersee» est un véritable eldorado pour ce qui est des loisirs et des agréments qu'elle réserve aux vacanciers. Le lac Edersee qui s'étend sur 27 kilomètres a vu le jour grâce à la construction du barrage de la vallée de l'Eder.

Folgende Doppelseite: Der Nationalpark Kellerwald-Edersee ist UNESCO-Weltnaturerbe. Der erste Nationalpark Hessens schützt auf fast 6000 Hektar den größten zusammenhängenden Hainsimsen-Buchenwaldkomplex Mitteleuropas.

Next double page: The Kellerwald-Edersee National Park is a UNESCO World Heritage site. Hesse's first national park protects an area of nearly 6,000 hectares of woodrush and beech forest, the largest contiguous complex of its kind in Central Europe.

Page double suivante: Le Parc national de Kellerwald-Edersee est inscrit au patrimoine naturel mondial de l'UNESCO. Les quelque 6000 hectares du plus vaste complexe de forêts de hêtres et de luzules d'un seul tenant en Europe moyenne sont sous la protection du premier Parc national de Hesse.

„Wo ist Behle?" Wenn Jochen Behle, einer der bekanntesten und erfolgreichsten deutschen Wintersportler, sich nicht mit der Langlauf-Nationalmannschaft im Training befindet, dann hat er sein Domizil im Willinger Ortsteil Schwalefeld aufgeschlagen. Hier im Waldecker Upland, im nordwestlichen Zipfel Hessens, wurden Ende des 19. Jahrhunderts die ersten „Schneeschuhe" durch den damaligen Förster Eduard Erbe eingeführt. Dies war aber nicht gleich der Startschuss zur Entwicklung des Skisports. Die Hölzer dienten den Einheimischen zunächst lediglich als „Verkehrshilfsmittel", um den Schnee zu überwinden. Anfangs traute sich die Dorfjugend nur sehr zögerlich an dieses neue Fortbewegungsmittel heran. Erst im Lauf der Jahre fanden immer mehr Einheimische und Touristen Gefallen an der blitzschnellen Fahrt auf zwei Brettern den 838 Meter hohen Ettelsberg hinunter. Von hier oben bietet sich ein majestätischer Blick auf den Langenberg, mit 843 Metern die höchste Erhebung des Sauerlandes, oder den Kahlen Pön im benachbarten Usseln. Ausgehend von „Siggi's Hütte", die mit der neuen

"Where's Behle?" Jochen Behle is one of Germany's best known and most successful winter sports athletes. When not in training with the national cross-country skiing team, he lives in the Schwalefeld district of Willingen in the Waldecker Upland at the northwestern tip of Hesse. There, in the late nineteenth century, the forester Eduard Erbe introduced the first "snow shoes." That did not immediately trigger the growth of skiing as a sport, however. At first, local people only used the wooden planks to help them move through the snow, and village youths were reluctant to try this new means of locomotion. Gradually, however, increasing numbers of locals and tourists alike discovered the joy of sliding breakneck down the 838-metre Ettelsberg on two planks of wood. From the summit one has a majestic view of the 843-metre Langenberg, the highest elevation in the Sauerland region, and the Kahler Pön in neighbouring Usseln. Numerous hiking trails starting from Siggi's Hütte, a hostelry easily reached by cable railway, lead through Europe's only high-altitude heath. Every year in August it is transformed into a luminescent sea of purple flowers. Culture lovers will be impressed by a stroll through the baroque town of Bad Arolsen, enjoy the charm of avenues of mature oak trees and landscaped parks, and visit the numerous town houses and half-timbered buildings, the museums and the magnificent palace. The palace owes its existence to

«Où est Behle?» Quand il n'est pas à l'entraînement avec l'équipe nationale de ski de fond, Jochen Behle, l'un des champions allemands en sports d'hiver les plus connus et les plus couronnés de succès, séjourne à Schwalefeld, un faubourg de Willingen. C'est ici, dans le Waldecker Upland, aux confins nord-ouest de la Hesse, qu'à la fin du XIXe siècle, les premières «chaussures de neige» furent introduites par Eduard Erbe, garde-forestier à l'époque. Mais cela ne signifia pas tout de suite le coup d'envoi des sports d'hiver et leur développement. Les planches ne servirent tout d'abord aux habitants qu'à se déplacer accessoirement sur les espaces enneigés. Au début, les jeunes des villages se montrèrent hésitants à employer ce nouveau moyen de locomotion. Ce n'est qu'au fil des ans que de plus en plus d'habitants de la région et des touristes prirent plaisir à dévaler à toute allure, sur deux planches, les pentes du Ettelsberg qui culmine à 838 mètres. De là-haut, une vue majestueuse se dégage sur le Langenberg qui, avec ses 843 mètres, est le plus haut sommet du Sauerland, ou sur le Khaler Pön, dans la contrée voisine de Usseln. De nombreux sentiers de randonnée partant de la «Siggi's Hütte» (Refuge de Siggi), que l'on atteindra aisément en prenant le nouveau téléphérique, mènent à travers l'unique lande de montagne d'Europe. Chaque année, en août, elle se

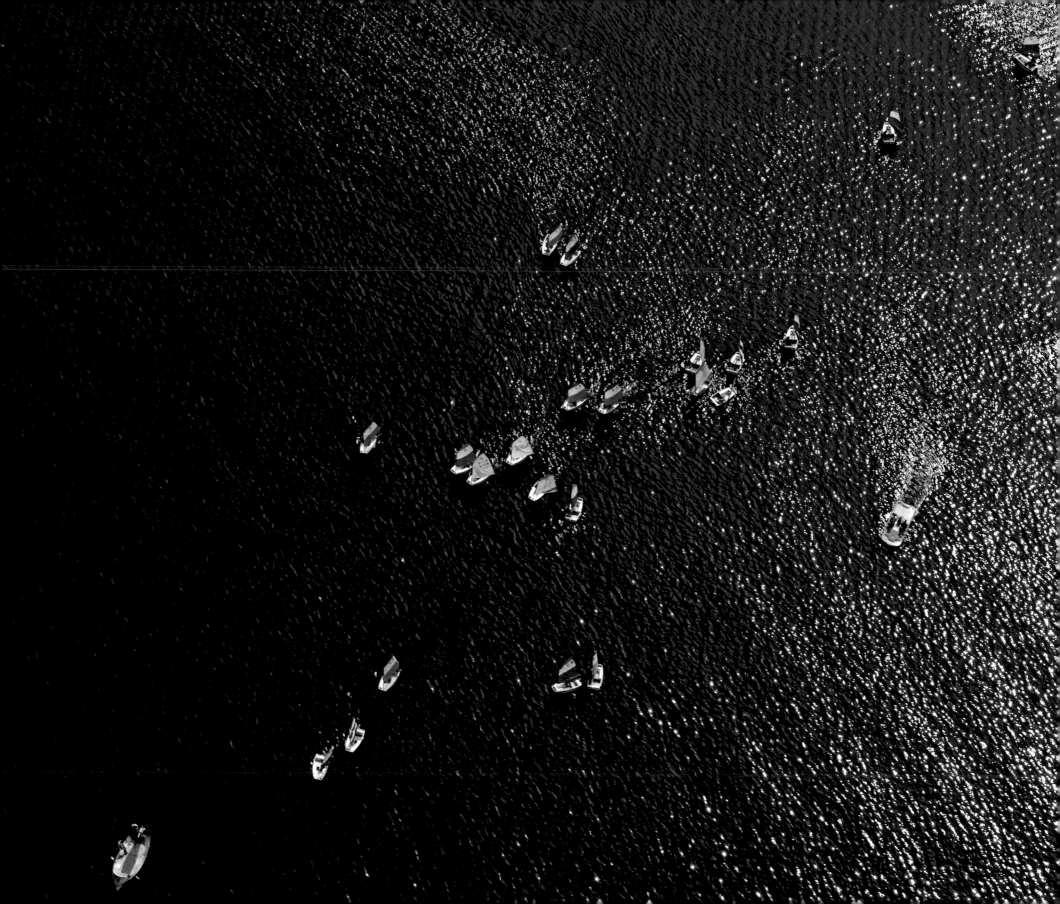

Das Waldecker Land – Zwischen Himmel und Eder

Seilbahn bequem zu erreichen ist, führen zahlreiche Wanderwege durch Europas einzige Hochheide. In jedem August verwandelt sie sich in ein leuchtendes Meer violetter Blüten.

Kulturliebhaber werden beeindruckt durch die Barockstadt Bad Arolsen schlendern, den Reiz der alten Eichenalleen und Parkanlagen genießen sowie die zahlreichen Bürger- und Fachwerkhäuser, die Museen und das prächtige Schloss besichtigen. Seine Entstehung verdankt das Residenzschloss dem Fürsten Friedrich Anton Ulrich zu Waldeck und Pyrmont (1676–1728), der 1711 in den Reichsfürstenstand erhoben wurde. 1720 hielt das Fürstenpaar feierlichen Einzug in dem Versailles nachempfundenen Schloss, das bis zum Ende des Ersten Weltkriegs die Residenz der Fürsten von Waldeck und Pyrmont blieb. Ein gesellschaftliches Ereignis von besonderem Glanz sind die alljährlichen Barockfestspiele.

Die tausend Jahre alte Hansestadt Korbach, deren mittelalterliches Stadtbild mit doppeltem Mauerring gut erhalten ist, bildet den Mittelpunkt Waldecks. Schöne Fachwerk- und Patrizierhäuser und die beiden stattlichen Kirchen St. Kilian und St. Nikolai erzählen von einer reichen Vergangenheit. Viel älter noch als die Stadt selbst ist die „Korbacher Spalte", in der Wissenschaftler erst in jüngerer Zeit

Waldecker Land – Between heaven and Eder

Prince Friedrich Anton Ulrich zu Waldeck und Pyrmont, 1676–1728, who was granted the status of Imperial Prince in 1711. In 1720, the prince and his wife made their ceremonial entry into the palace, which was modelled on Versailles and remained the seat of the Princes of Waldeck and Pyrmont until the end of World War I. The annual Baroque Festival is an especially glittering social highlight.

The thousand-year-old Hanseatic town of Korbach is the centre of the Waldeck region. Its mediaeval townscape and double ring of surrounding walls are well preserved. Beautiful half-timbered houses and patrician buildings and two fine churches, St Kilian's and St Nicholas', are testimony to its wealthy past. Much older than the town itself is the Korbacher Spalte (Korbach Rift), where scientists recently discovered 250-million-year-old vertebrates. The austere low mountain landscape with its irregular summits boasts a special geological feature, the 562-metre Eisenberg west of Korbach, the only "gold mountain" in Germany. With some patience, it is still possible to pan gold in the tributaries of the River Eder. This 177-kilometre left-bank tributary of the Fulda rises on the Ederkopf in the Rothaar

Le Pays de Waldeck – Entre ciel et Eder

transforme en une mer lumineuse constellée de fleurs violettes.

Les amateurs de culture seront, eux, impressionnés en flânant à travers la ville baroque de Bad Arolsen; ils goûteront au charme des vieilles allées de chênes et des parcs et pourront visiter les nombreuses maisons bourgeoises ou à colombage, les divers musées ainsi que le magnifique château. Cette résidence doit sa construction à Friedrich Anton Ulrich zu Waldeck und Pyrmont (1676–1728), élevé en 1711 à la dignité de prince d'empire et qui en fit les plans. C'est en 1720 que le couple impérial emménagea en grande pompe dans ce château inspiré de Versailles qui, jusqu'à la fin de la Première Guerre mondiale, demeura la résidence des princes de Waldeck et Pyrmont. Le Festival Baroque qui s'y tient tous les ans est un événement culturel d'un éclat particulier.

Korbach, ville hanséatique de mille ans d'âge, dont la physionomie moyenâgeuse, avec sa double enceinte de remparts, est bien conservée, constitue le centre du Pays de Waldeck. De belles maisons patriciennes et à colombage ainsi que les deux imposantes églises St-Kilian et St-Nicolas évoquent le passé fécond de cette cité médiévale. La «Korbacher Spalte» (Faille de Korbach), où des scientifiques ont, à une période récente, découvert des restes de vertébrés remontant à environ 250 millions d'années est encore bien plus âgée que la ville elle-même. À l'ouest de Korbach, le mont Eisenberg de 562 mètres de hauteur, confère à cette

Wahrzeichen der Stadt Bad Arolsen ist das prächtige Residenzschloss. Seine Entstehung verdankt es Fürst Friedrich Anton Ulrich zu Waldeck und Pyrmont (1676–1728). Ab 1713 entstand die dreiflügelige Barockanlage nach Plänen des Baudirektors Julius Ludwig Rothweil. Er orientierte sich am Beispiel von Schloss Versailles. Alljährlich finden hier Barockfestspiele statt.

The emblem of the town of Bad Arolsen is its magnificent royal palace, built by Prince Friedrich Anton Ulrich zu Waldeck und Pyrmont, 1676–1728. The triple-winged baroque complex was built in 1713 and designed by public works director Julius Ludwig Rothweil, who modelled it on the Palace of Versailles. It is now the venue for an annual Baroque Festival.

Ce magnifique château résidentiel est l'emblème de la ville de Bad Arolsen. Il doit son édification au prince Friedrich Anton Ulrich zu Waldeck und Pyrmont (1676–1728). C'est à partir de 1713 que fut créé l'ensemble baroque à trois ailes d'après les plans du directeur des constructions, Julius Ludwig Rothweil, qui s'inspira du château de Versailles. Le Festival Baroque y a lieu chaque année.

Das Waldecker Land – Zwischen Himmel und Eder

Hoch über dem Luftkurort Waldeck am Nordufer des Edersees thront die gleichnamige Burg, einst Stammsitz der Grafen von Waldeck, die hier bis ins 17. Jahrhundert residierten. Heute beheimatet die Anlage unter anderem ein Nobelhotel. Von der Aussichtsterrasse hat man einen sensationellen Blick auf den Edersee und die bewaldeten Höhen des Nationalparks Kellerwald-Edersee.

Waldeck Castle towers high above the health resort of Waldeck on the north shore of the Edersee. The castle was once the family seat of the Counts of Waldeck, who resided there until the seventeenth century. The complex now houses, among other things, a luxury hotel. From the terrace there is a sensational view of the Edersee and the wooded heights of the Kellerwald-Edersee National Park.

Sur la rive nord du lac Edersee, surplombant la station climatique de Waldeck, trône le château fort du même nom, jadis siège des comtes de Waldeck qui y résidèrent jusqu'au XVIIe siècle. Aujourd'hui, le complexe de bâtiments abrite entre autres un hôtel de luxe. De la terrasse panoramique se dégage une vue exceptionnelle sur le lac Edersee et les hauteurs boisées du Parc national de Kellerwald-Edersee.

auf 250 Millionen Jahre alte Wirbeltiere gestoßen sind. Mit dem 562 Meter hohen Eisenberg westlich von Korbach weist die herbe, unruhig gekuppte Mittelgebirgslandschaft eine geologische Besonderheit auf – den einzigen „Goldberg" in Deutschland. Mit etwas Geduld lässt sich in den Zuflüssen der Eder noch heute Gold waschen. Der 177 Kilometer lange, linke Nebenfluss der Fulda entspringt auf dem Ederkopf im westfälischen Rothaargebirge. Bei Hemfurth wurde der Fluss im Jahr 1912 mit der Errichtung einer Sperrmauer gestaut. Der so entstandene 27 Kilometer lange Edersee ist heute das unangefochtene Zentrum des Tourismus im Waldecker Land.

Inmitten der über 700-jährigen Altstadt des mondänen Kurortes Bad Wildungen, der schon Ende des 14. Jahrhundert für die besondere Heilkraft seiner mehr als zwanzig Quellen bekannt war, liegt die Evangelische Stadtkirche mit dem berühmten „Wildunger Altar", den Conrad von Soest im Jahr 1403 vollendet hat. Bei einem Ausflug in die wildreichen Wälder des Nationalparks Kellerwald-Edersee stößt der Wanderer in der Umgebung des Örtchens Bergfreiheit immer wieder auf Relikte

Waldecker Land – Between heaven and Eder

Mountains in Westphalia. In 1912, a barrage was built to dam the river near Hemfurth. The resulting lake, the 27-kilometre-long Edersee, is now the undisputed centre of tourism in the Waldecker Land.

The elegant spa town of Bad Wildungen was known as far back as the late fourteenth century for the special healing power of its springs, more than twenty in number. In the middle of its 700-year-old historic town centre is the Evangelische Stadtkirche with the famous Wildungen Altar completed by Conrad von Soest in 1403. On a trip to the Kellerwald-Edersee National Park with its game-filled forests, hikers will come across many relics of metalworking. The Brothers Grimm fairy tale Snow White and the Seven Dwarfs may have originated in this area. On the western periphery of the Kellerwald forest is the former Cistercian abbey of Haina. Building of the monastery complex began in around 1215 and over the centuries it became one of the richest abbeys in Hesse. During the Reformation, Landgrave Philip the Magnanimous turned the monastery into a hospital.

It was probably the Landgrave of Hesse and Thuringia who in 1230–40 built the town and castle of Frankenberg on the site of a Frankish fortification. Frankenberg played an important role in mediaeval Hesse because of its location on the important road from Westphalia via the Wetterau to Frankfurt. The town was especially busy at trade fair times. Frankenberg hides and cloth enjoyed a good reputation.

Le Pays de Waldeck – Entre ciel et Eder

région de montagnes de moyenne altitude aux cimes discontinues une originalité géologique – celle d'être la seule «montagne aurifère» d'Allemagne. Avec un peu de patience on peut aujourd'hui encore découvrir des paillettes d'or en lavant l'eau des petits affluents de l'Eder. Cette rivière de la rive gauche de la Fulda, longue de 177 kilomètres, prend sa source sur le Ederkopf, dans le Rothaargebirge westphalien. En 1912 elle fut endiguée par la construction d'un barrage près de Hemfurth. Le lac Edersee ainsi créé, long de 27 kilomètres, est aujourd'hui le centre incontesté du tourisme dans le Pays de Waldeck.

Au cœur de la vieille ville sept fois centenaire de Bad Wildungen, station thermale mondaine connue dès la fin du XIVe siècle pour les vertus curatives de sa vingtaine de sources, se dresse la Evangelische Stadtkirche, église qui abrite le célèbre autel de Wildungen (Wildunger Altar), une œuvre de Conrad von Soest achevée en 1403. En parcourant les forêts giboyeuses du Parc national de Kellerwald-Edersee, le randonneur pourra découvrir dans les environs de la petite localité Bergfreiheit des vestiges de l'usinage des métaux. Il est également possible que cette contrée ait inspiré les frères Grimm dans leur conte «Blanche Neige et les sept Nains». À la lisière ouest du Kellerwald se trouve l'ancienne

Der Kurort Bad Wildungen, der bereits um das Jahr 800 in einem Verzeichnis des Klosters Hersfeld als „villa Wildungun" erstmals erwähnt wurde, liegt an den Ausläufern des Kellerwaldes. Im Zentrum der sehenswerten Altstadt erhebt sich die Evangelische Stadtkirche, eine spätgotische Hallenkirche aus dem 14. Jahrhundert. Sie beherbergt einen Flügelaltar von Conrad von Soest.

The first recorded mention of the spa town of Bad Wildungen dates back to around 800, when a directory of Hersfeld Monastery referred to a "villa Wildungun." It is situated in the foothills of the Kellerwald forest. The Evangelische Stadtkirche, a fourteenth-century hall church in the Late Gothic style, stands in the middle of the attractive historic city centre. The church has a winged altar by Conrad von Soest.

La station thermale de Bad Wildungen, mentionnée pour la première aux environs de l'an 800 dans un registre du monastère de Hersfeld sous le nom de «villa Wildungun», s'adosse aux contreforts du Kellerwald. Au cœur de la vieille ville digne d'une visite, se dresse la Evangelische Stadtkirche, une église-halle du culte protestant issue du XIVe siècle. Elle renferme un retable dû à Conrad von Soest.

Ein privater Hotelier ließ 1902 im mondänen Bad Wildungen den Fürstenhof erbauen, eine imposante schlossartige Anlage im Stil des Neobarocks, direkt am Kurpark gelegen. Das Luxushotel erstrahlte schon bald in internationalem Glanz. Mitglieder des Hochadels ebenso wie Persönlichkeiten aus Politik, Wirtschaft und Kunst stiegen hier ab. Heute beherbergt das Gebäude eine Klinik.

The Fürstenhof, a grand, palatial building in the neo-baroque style, stands immediately adjacent to the Kurpark in chic Bad Wildungen. Commissioned by a private hotelier in 1902, the luxury hotel soon became a haunt of international high society. Its guests included members of the aristocracy and prominent politicians, business people and artists. The building now houses a clinic.

En 1902, un particulier, hôtelier de son métier, fit construire à Bad Wildungen, station thermale mondaine, le Fürstenhof. Cet imposant bâtiment aux allures de château fut aménagé dans le goût néo-baroque, en bordure immédiate du Parc de Cure. Hôtel de luxe, il brilla bientôt d'un éclat international. Des membres de la haute noblesse ainsi que des personnalités de la vie politique, économique et artistique y descendaient. L'ensemble abrite aujourd'hui une clinique.

Das Waldecker Land – Zwischen Himmel und Eder

Waldecker Land – Between heaven and Eder

Le Pays de Waldeck – Entre ciel et Eder

In Waldeck-Frankenberg, dem flächenmäßig größten hessischen Landkreis, spielt die Landwirtschaft eine bedeutende Rolle. Noch mehr als 70 000 Hektar Fläche werden landwirtschaftlich genutzt.

Farming plays an important role in Waldeck-Frankenberg, geographically the largest district in Hesse. More than 70,000 hectares of land is used for farming.

À Waldeck-Frankenberg, le canton rural le plus étendu de Hesse, l'agriculture joue un rôle important. Plus de 70 000 hectares de surface agricole sont encore exploités.

der Metallverarbeitung. Möglicherweise liegt hier der Ursprung des Grimm'schen Märchens „Schneewittchen und die sieben Zwerge". Am Westrand des Kellerwaldes liegt das frühere Zisterzienserkloster Haina. Um 1215 wurde mit dem Bau der Klosteranlagen begonnen, die sich im Lauf der Jahrhunderte zu einer der reichsten Abteien in Hessen entwickelten. Im Verlauf der Reformation wurde das Kloster durch Landgraf Philipp den Großmütigen in ein Hospital umgewandelt. An der Stelle einer fränkischen Befestigung legte wahrscheinlich der hessisch-thüringische Landgraf 1230–1240 Stadt und Burg Frankenberg an. Im Mittelalter spielte die Stadt in Hessen eine bedeutende Rolle, denn sie lag an der großen Straße von Westfalen über die Wetterau nach Frankfurt. Besonders zur Zeit der Messe war sie sehr belebt. Frankenberger Häute und Tuche standen in gutem Ruf. Vom Burgberg, den seit dem 14. Jahrhundert eine herrliche Kirche krönt, zieht sich die Stadt am Abhang hinunter bis ins Edertal. In der malerischen Altstadt mit ihren Fachwerkhäusern mit Ziegelsteinausmauerungen und mehrgeschossigen Eck-Erkern imponiert zwischen Ober- und Untermarkt insbesondere das spätgotische, 1509 nach einem Brand erneuerte Rathaus mit seinen zehn Türmen, der repräsentativen Halle im Erdgeschoss und den prächtig geschnitzten Konsolenskulpturen. Das Thonet-Museum zeigt Freunden schöner Möbel die prägende Sitzmöbel-Geschichte der letzten 150 Jahre.

From the castle hill, which since the fourteenth century has been crowned by a fine church, the town stretches down the hillside to the Eder Valley. The picturesque old town has half-timbered buildings with brick infill and multi-storeyed corner oriels. Especially impressive is the Late Gothic Town Hall between the upper and lower marketplace. Rebuilt in 1509 after a fire, it has ten towers, a ceremonial hall on the ground floor and corbels with superbly carved wooden sculptures. For lovers of old furniture, the Thonet Museum illustrates the formative history of seating during the last 150 years.

abbaye cistercienne de Haina. C'est vers 1215 que commencèrent les travaux de construction des bâtiments qui, au fil des siècles, donnèrent naissance à l'une des plus riches abbayes de la Hesse. Dans le courant de la Réforme, elle fut transformée en hôpital par le landgrave Philippe le Magnanime. C'est probablement le landgrave de Hesse-Thuringe qui, en 1230–1240, fit ériger la ville et le château fort de Frankenberg à l'emplacement d'une forteresse franque. Cette ville joua, au Moyen Âge, un rôle important en Hesse car elle se trouvait sur la grande voie qui conduisait de Westphalie à Francfort et passait par la Wetterau (Vettaravie). Une intense animation y régnait tout particulièrement en période de foires. Les peaux et les draps de Frankenberg étaient alors fort réputés. Du Burgberg que couronne depuis le XIVe siècle une magnifique église, la ville s'étage au flanc de la colline jusque dans la vallée de l'Eder. Dans l'enceinte de la vieille ville pittoresque abritant de nombreuses maisons à colombage ornées de limousinages en brique et d'encorbellements sur plusieurs étages, l'hôtel de ville, entre Obermarkt et Untermarkt, en impose tout particulièrement. De style gothique tardif et reconstitué en 1509 après un incendie, il se pare de dix tours, d'une halle représentative au rez-de-chaussée ainsi que de sculptures sur consoles magnifiquement ouvragées. Pour les amoureux de beaux meubles, le Musée Thonet retrace l'histoire des chaises et sièges qui firent date au cours des 150 dernières années.

Allendorf, dessen Wurzeln ins 8. Jahrhundert zurückreichen, wurde 1929 vereinigt mit dem Nachbarort Sooden, zu dem eine Brücke über die Werra (unten im Bild) führt. Bad Sooden-Allendorf blickt auf eine wirtschaftliche Blütezeit zurück. In zahlreichen Siedehäusern wurden bis Ende des 19. Jahrhunderts jährlich mehr als 200 000 Zentner Salz produziert.

Allendorf, which traces its origins to the eighth century, was amalgamated in 1929 with the neighbouring small town of Sooden. A bridge across the River Werra (at the bottom of the picture) links the two. Bad Sooden-Allendorf can look back on an economic heyday when numerous salt boiling houses were located there. Until the end of the nineteenth century, it produced more than 200,000 hundredweight of salt a year.

Allendorf, dont les racines remontent au VIIIe siècle, fut réuni en 1929 à la localité voisine de Sooden, à laquelle le relie un pont enjambant la Werra (en bas de l'image). Bad Sooden-Allendorf connut dans le passé une période de grande prospérité économique. Jusqu'à la fin du XIXe siècle, plus de 200 000 quintaux de sel étaient produits chaque année dans les nombreuses sauneries.

Das im lieblichen Werratal am Nordrand des heutigen Naturparks Meißner-Kaufunger Wald im 8. Jahrhundert von Witta von Büraburg gegründete Witzenhausen erhielt im 13. Jahrhundert Stadtrechte. Ihren Reichtum verdankt die Stadt vor allem der Obstzucht, die sie als „Stadt der Kirschen" weit über die hessischen Grenzen hinaus bekannt machte. In der geschützten Lage zwischen Kaufunger Wald, Meißner und Eichsfeld gedeihen die edelsten Kirschsorten. Und wenn im Frühjahr Hunderttausende von Kirschbäumen in Blüte stehen, wirkt das gesamte Land wie von einem weißen Teppich überzogen.

Allendorf, am rechten Ufer der Werra, ist eine entzückende Kleinstadt mit schönem Marktplatz und uralten rauschenden Brunnen unter schattigen Lindenbäumen. Eine Brücke verbindet das Städtchen mit dem nicht weniger altertümlichen Sooden. Während der wirtschaftlichen Blütezeit der beiden 1929 vereinigten Ortschaften Sooden und Allendorf wurden in den zahlreichen Siedehäusern jährlich mehr als 200 000 Zentner Salz produziert. Schwer beladene Wagen brachten es weit hinein ins Land, denn Salz war noch selten und teuer. Die Pfänner – so nannte man die Besitzer einer Siedeanlage – wurden reich,

Witzenhausen in the delightful Werra Valley, on the northern edge of what is now the Meissner-Kaufunger Wald Nature Park, was founded in the eighth century by Witta von Büraburg and received its town charter in the thirteenth century. The town owes its prosperity mainly to the cultivation of a fruit that made it famous well beyond the borders of Hesse as the "Cherry Town." The finest varieties of cherry flourish in this protected location between the Kaufunger Wald, the Meissner and Eichsfeld. In spring, when a hundred thousand cherry trees are in bloom, the entire region looks as if it is covered in a white carpet.

Allendorf on the right bank of the River Werra is a charming small town with a fine marketplace and ancient fountains murmuring beneath shady linden trees. A bridge links the small town with Sooden, which is no less ancient. During their economic heyday the communities of Sooden and Allendorf, which were merged in 1929, produced more than 200,000 hundredweight of salt per year in their numerous boiling houses. Heavily laden carts carried the salt far and wide, because it was still a rare and expensive commodity. Saltworks owners, known as panners, grew rich, as their fine, large, half-timbered houses in Allendorf show. When increasing competition caused the price of the "white gold" to plummet, the town evolved into a salt-water spa.

Witzenhausen, situé dans la riante vallée de la Werra aux confins nord de l'actuel Parc naturel de Meißner-Kaufunger Wald, fut fondé au VIIIe siècle par Witta von Büraburg et se vit octroyer les privilèges municipaux au XIIIe siècle. La ville doit avant tout sa richesse à la culture fruitière qui la rendit célèbre en tant que «ville des cerises» bien au-delà des frontières hessoises. Les plus nobles variétés mûrissent dans ce site protégé entre Kaufunger Wald, Meißner et Eichsfeld. Et quand, au printemps, des centaines de milliers de cerisiers sont en fleurs, tout le pays est comme recouvert d'un tapis blanc.

Allendorf, sur la rive droite de la Werra, est une ravissante petite ville agrémentée d'une belle place de marché et de fontaines ancestrales bruissant à l'ombre des tilleuls. Un pont relie cette petite cité à celle non moins ancienne de Sooden. Pendant la période de prospérité économique que connurent les deux localités de Sooden et Allendorf, réunies en 1929, 200 000 quintaux de sel étaient produits dans les nombreuses sauneries. Des voitures lourdement chargées le transportaient loin à l'intérieur du pays, car le sel était alors rare et cher. Les «Pfänner», ainsi qu'on appelait les exploitants de ces sauneries, firent fortune, ce dont témoignent leurs grandes et magnifiques maisons à colombage du quartier

Entlang der Werra zum Hohen Meißner   Along the Werra to the Hoher Meissner   Le long de la Werra, destination Hoher Meißner

Die Kreisstadt Eschwege liegt in einer Werra-Niederung. Besonders sehenswert sind die vielen Fachwerkhäuser sowie das am nordwestlichen Rand der Altstadt direkt am Fluss gelegene ehemalige Landgrafenschloss (oben rechts) und die Neustädter Katharinenkirche (linke Bildhälfte).

The district town of Eschwege lies in the Werra plain. Of particular interest to visitors are the large number of half-timbered buildings, the former landgravial palace by the river on the northwest periphery of the historic town centre (top right), and St Catherine's Church in the new town (left-hand half of picture).

Eschwege, chef-lieu de cercle, s'étend dans le bas-fond de la Werra. Les nombreuses maisons à colombage, l'ancien château comtal baigné par la rivière, en bordure nord-ouest de la vieille ville (en haut à droite) ainsi que la Neustädter Katharinenkirche (moitié gauche de la photo), sont dignes d'intérêt.

Vorangehende Doppelseite: Der Hohe Meißner, der „König der hessischen Berge", misst an der Kasseler Kuppe 754 Meter über Normalnull. Von dort reicht der Blick bis zum Habichtswald und dem großen Inselsberg in Thüringen.

Previous double page: The summit of the Hoher Meissner, the "King of the Hessian mountains," is 754 metres above sea level. From the top you can see right across to the Habichtswald forest and the big Inselsberg hill in Thuringia.

Page double précédente: À la Kasseler Kuppe, le Hoher Meißner, le «Roi des montagnes hessoises», culmine à 754 mètres au-dessus du niveau zéro. De sa croupe, la vue va jusqu'au Habichtswald et au sommet Inselsberg en Thuringe.

wovon ihre schönen, großen Fachwerkhäuser im Stadtteil Allendorf zeugen. Als durch auftretende Konkurrenz die Preise des „Weißen Goldes" in den Keller stürzten, entwickelte sich der Ort zu einem Solebad. Mittlerweile zählt es zu den bedeutendsten Heilbädern in Deutschland.
Wenn die Uhr auf dem Turm des landgräflichen Schlosses in der märchenhaft schönen Kreisstadt Eschwege die volle Stunde schlägt, tritt der „Dietemann" heraus und bläst in sein Horn. Den Bürgern gilt das Männlein mit seinem roten Umhang als lieb gewordenes Symbol für Wehrhaftigkeit und Schutz. Am Fuße des Leuchtberges gelegen, entwickelte sich der Mittelpunkt des hessischen Werralandes aus einem sächsischen Königshof bis Mitte des 13. Jahrhunderts zur Stadt. Die mit Flachschnitzereien und figürlichen Eckpfosten versehenen Fachwerkhäuser aus dem 17. bis 19. Jahrhundert, unter ihnen das Raiffeisenhaus (1679) und das Alte Rathaus (1650/60), zählen zu den Sehenswürdigkeiten Eschweges. Die Steinkanzel in der Neustädter Katharinenkirche gilt als die bedeutendste spätgotische Kanzel in hessischen Gotteshäusern. Im Stil der Renaissance wurde im 16. Jahrhundert das dreiflügelige Schloss des Landgrafen errichtet, in dessen Hof der mit zahlreichen Motiven versehene Frau-Holle-Brunnen an das Grimm'sche Märchen erinnert.

It is now one of Germany's leading health spas.
When the clock in the tower of the Landgrave's Palace in the fairy-tale district town of Eschwege strikes the hour, a figure known as the "Dietemann" emerges and blows his horn. Local people have grown fond of this little man in a red cloak and regard him as a symbol of steadfastness and protection. Eschwege, which lies at the foot of the Leuchtberg mountain, is the centrepoint of the Hessian Werra region. By the mid-thirteenth century it had evolved from a Saxon royal court into a town. Its places of interest include seventeenth- to nineteenth-century half-timbered houses with bas-relief carvings and figurative corner posts, among them the Raiffeisenhaus, 1679, and the Old Town Hall, 1650/60. The stone pulpit in St Catherine's Church in the Neustadt (new town) is regarded as the most distinguished Late Gothic pulpit in any Hessian church. The triple-winged, Renaissance-style Landgrave's Palace was built in the sixteenth century. An ornately decorated well in the palace courtyard is known as the Frau-Holle-Brunnen, a reference to the Brothers Grimm fairy tale Mother Hulda.

d'Allendorf. Lorsque, du fait de la concurrence survenue entre-temps, les prix de l'«or blanc» s'effondrèrent, la localité devint une ville d'eaux salines. Elle compte dans l'intervalle parmi les villes de cure les plus courues d'Allemagne.
Quand l'horloge de la tour du château des landgraves de la ville d'Eschwege, au charme enchanteur, carillonne les heures, le «Dietemann» fait son apparition et sonne du clairon. Aux yeux des habitants ce petit bonhomme à la pèlerine rouge, est un symbole de vaillance et de défense, cher à leur cœur. Situé au pied du Leuchtberg et à l'origine siège de la cour royale saxonne qui y régna jusqu'au milieu du XIIIe siècle, ce centre du Pays hessois de la Werra se transforma petit à petit en une agglomération. Les maisons à colombage ornées de sculptures en plat sur bois et de poteaux principaux ornés de figures datant du XVIIe au XIXe siècle, dont la Raiffeisenhaus (1679) et la Altes Rathaus (ancien hôtel de ville érigé en 1650/60) font partie des curiosités d'Eschwege. La chaire en pierre de la Neustädter Katharinenkirche, sculptée dans le style gothique flamboyant, passe pour être la plus importante parmi celles que l'on trouve dans les maisons de culte hessoises. Le château des landgraves qui se compose de trois ailes, fut construit dans le style Renaissance au XVIe siècle. Dans la cour, la Frau-Holle-Brunnen (fontaine de Dame Holle), ornementée de

Entlang der Werra zum Hohen Meißner

Along the Werra to the Hoher Meissner

Le long de la Werra, destination Hoher Meißner

Blick von der Teufelskanzel, einem Felsvorsprung des Höhebergs, auf Lindewerra – am linken Bildrand –, auf den hufeisenförmigen Werralauf und hinüber nach Oberrieden und in das hessische Bergland.

The view from the Teufelskanzel, or "Devil's Pulpit," a rocky outcrop of the Höheberg mountain, of Lindewerra on the left-hand edge of the picture, the horseshoe-shaped course of the Werra, and across to Oberrieden and the Hessian uplands.

Vue de la Teufelskanzel – un promontoire du Höheberg appelé «Chaire du Diable» – sur Lindewerra (bord gauche de la photo), bordant le tracé en fer à cheval du cours de la Werra. Au-delà, le regard porte jusqu'à Oberrieden et au Pays montagneux hessois.

Im 42 Hektar großen Naturpark Meißner-Kaufunger Wald, zehn Kilometer westlich des Werratales, bildet der Hohe Meißner – der „König der hessischen Berge" – die höchste Erhebung in Nordhessen. Schon in früheren Zeiten rankten sich zahlreiche Sagen um diesen wuchtigen Berg. Die Brüder Grimm haben das Ihre dazu beigetragen, dass auch in der heutigen Zeit „Frau Holle" ein volkstümlicher Begriff geblieben ist. Besonders romantisch sind in den Wintermonaten Spaziergänge um den an der Strecke von Schwalbental nach Kammerbach (Landesstraße L 3242) gelegenen Frau-Holle-Teich, wenn bei klirrender Kälte und dichtem Schneetreiben das Märchen lebendig zu werden scheint. Am Fuß des Bergmassivs liegt das Fachwerkstädtchen Hessisch Lichtenau, das einer Anordnung des Landgrafen Heinrich I., „auf dieser lichten Aue soll mir eine Stadt entstehen", seine Gründung im Jahr 1289 verdankt. Die alte Stadtmauer mit ihren Wehrtürmen aus dem 14. Jahrhundert umfasst die verwinkelten Fachwerkhäuser des historischen Altstadtkerns, der durch das stattliche Rathaus (1651/55) und die gotische Pfarrkirche geprägt wird.

In the 42-hectare Meissner-Kaufunger Wald Nature Park, ten kilometres to the west of the Werra Valley, stands the Hoher Meissner, "King of the Hessian mountains," the highest elevation in North Hesse. In olden days, this massive hill was shrouded in numerous myths. The Brothers Grimm played their part in ensuring that "Frau Holle" has remained a folk legend until this day. Walks around the Frau Holle Pond, which is situated on the road from Schwalbental to Kammerbach (Landesstrasse L 3242), are especially romantic in the winter months when icy cold and driving snow seem to bring the fairy tale to life. At the foot of the massif is the little town of Hessisch Lichtenau with its half-timbered buildings. It was established in 1289 by order of Landgrave Heinrich I, who decreed, "on this bright meadow shall a town be built for me." The old town wall with its fourteenth-century watchtowers surrounds the quaint half-timbered buildings in the old town, which is dominated by the handsome Town Hall, 1651/55, and the Gothic parish church.

nombreux motifs, évoque ce conte de fées des frères Grimm.

Dans le Parc naturel Meißner-Kaufunger-Wald, qui s'étend sur 42 hectares à l'ouest de la vallée de la Werra, à une distance de dix kilomètres de celle-ci, se dresse le Hoher Meißner – le roi des montagnes de la Hesse du Nord et son plus haut sommet. Dans un lointain passé, nombre de légendes sont venues se broder autour de cette montagne trapue. Les frères Grimm ont contribué à ce que «Dame Holle» fasse partie, jusqu'à notre époque, de l'imaginaire collectif. En hiver, par grand froid et tempête de neige, les promenades autour du petit lac «Frau Holle» en bordure de la route conduisant de Schwalbental à Kammerbach (Landesstraße L 3242) sont d'un attrait tout romantique quand ce conte de fées semble devenir réalité. Au pied du massif montagneux s'étend la petite ville à colombage de Hessisch Lichtenau qui doit sa fondation, en 1289, à une ordonnance du Landgrave Henri Ier selon laquelle «dans cette noue lumineuse, une ville lui [me] sera bâtie». Les anciens remparts de la ville, dotés de tours de garde du XIVe siècle, enserrent les maisons à colombage à coins et recoins du noyau urbain historique dont le visage est empreint par l'imposant hôtel de ville (1651/55) et l'église paroissiale de style gothique.

Geschichtsträchtige Landschaften zu Füßen des Herkules

Historic landscapes at the feet of Hercules

Pays chargés d'histoire au pied d'Hercule

Der Bau des Kasseler Schlosses Wilhelmshöhe ab 1786 (unten im Bild) veranlasste Kurfürst Wilhelm I. zu einer neuen Gestaltung des dazugehörigen Bergparks nach englischem Vorbild. Über allem thront die Anfang des 18. Jahrhunderts aufgestellte acht Meter hohe kupferne Herkules-Statue, das Wahrzeichen Kassels, 236 Meter über dem Schlossniveau (Mitte oben).

The building of Kassel's Wilhelmshöhe Palace (at the bottom of the picture), which began in 1786, prompted Elector Wilhelm I to have the adjoining hillside park redesigned in the English style. Towering over it all is an eight-metre statue of Hercules erected in the early eighteenth century. The emblem of Kassel, it stands 236 metres higher than the level of the palace (centre, above).

La construction du château de Cassel, la Wilhelmshöhe (en bas de l'image), commencée en 1786, conduisit le prince-électeur Guillaume Ier à réaménager le parc de la colline qui en faisait partie à l'image des jardins à l'anglaise. Dominant l'ensemble, la statue de cuivre d'Hercule, haute de huit mètres, fut élevée à cet endroit au début du XVIIIe siècle. Elle est l'emblème de Cassel et se dresse à 236 mètres au-dessus du niveau du château (au centre de l'image, en haut).

Aus dem pulsierenden Zentrum der nordhessischen Metropole Kassel, seit der Wiedervereinigung wieder im Herzen Deutschlands gelegen, führt eine schnurgerade, mehrere Kilometer lange Allee durch die vornehmen Villenvororte bis in den Naturpark Habichtswald hinein. Bunte Blumen und gepflegte Rasenflächen, die den Besucher an mediterrane oder englische Parkanlagen erinnern, säumen den Weg bergauf zum Schloss Wilhelmshöhe. Durch einen der schönsten Parks Europas geht der Weg steil hinauf zum Herkules, einer Kupferstatue des antiken Herakles. Vom Fuße des Kasseler Wahrzeichens bietet sich eine unvergleichliche Aussicht. Im Kasseler Becken, das von Habichtswald, Reinhardswald, Kaufunger Wald und Söhre gebildet wird, liegt die ehemalige landgräfliche und später kurfürstliche Residenzstadt zu beiden Seiten der sanftmütigen Fulda. Mit einigen Stadtteilen – besonders im Westen – klettert die Stadt schon die Berge hinauf. Die Luft hier oben wird seit Langem gerühmt, so auch vom Leibarzt des Reichskanzlers Bismarck, der befand, dass in Wilhelmshöhe „jeder Athemzug einen Thaler wert" sei. Seit ihrer fürstlichen Zeit ist die Stadt Kassel im besonderen Maße den Künsten verbunden. Mit dem Ottoneum – heute Naturkundemuseum – errichtete Landgraf Moritz 1604/05 den ersten

A dead straight avenue several kilometres long runs from the vibrant centre of the north Hessian metropolis Kassel, since reunification back in the heart of Germany, through exclusive residential suburbs and into the Habichtswald Nature Park. Colourful flower beds and well-tended lawns that remind visitors of Mediterranean or English parks line the route up the hill to Wilhelmshöhe Palace. The path rises steeply through one of Europe's most beautiful parks to a copper statue of Hercules, the emblem of Kassel. The view from the foot of the statue is incomparable. In the basin (Kasseler Becken) formed by the Habichtswald, Reinhardswald and Kaufunger Wald forests and the Söhre, Kassel, formerly the seat of landgraves and electoral princes, lies on either side of the gentle Fulda river. Some neighbourhoods, especially in the west of the city, have begun climbing the hills. The air in these high places has long been lauded, including by the personal physician of Reich Chancellor Otto von Bismarck, who opined that in Wilhelmshöhe "every breath of air is worth a thaler." Ever since its princely era the

Du centre vibrant d'animation de Cassel, métropole du nord de la Hesse, qui depuis la réunification se retrouve au cœur de l'Allemagne, une allée de plusieurs kilomètres de longueur, mène en ligne droite, à travers les quartiers résidentiels chics de la périphérie au Parc naturel Habichtswald. Des fleurs de toutes couleurs et des pelouses soigneusement entretenues bordent la voie qui conduit au château de Wilhelmshöhe, évoquant l'image de parcs méditerranéens ou paysagés à l'anglaise. À travers l'un des plus beaux parcs d'Europe, le chemin grimpe en pente raide jusqu'à la statue en cuivre d'Hercule incarnant l'Héraclès de l'Antiquité grecque. Du pied de ce qui est l'emblème de Cassel se dégage une vue incomparable. Dans la cuvette encerclée des forêts du Habichtswald, du Reinhardswald, du Kaufunger Wald et de la Söhre, s'étend, de part et d'autre de la douce Fulda, l'ancienne résidence des landgraves et, plus tard, des princes-électeurs. Avec plusieurs autres quartiers, tout particulièrement côté ouest, la ville s'agrippe aux versants de la colline. Là-haut, l'air que l'on respire passe pour être particulièrement sain, ainsi que le prônait déjà par exemple le médecin attitré du chancelier de l'empire, Bismarck, qui trouvait que, à Wilhelmshöhe, «chaque bouffée d'air méritait un thaler». Depuis les temps où des princes y résidèrent, la ville de Cassel se réclame tout particulièrement des arts. En instaurant l'Ottoneum – aujourd'hui Musée d'Histoire naturelle – le landgrave Moritz créa, en 1604/05, le premier Opéra d'Allemagne

„Es stehen uns keine Häuser gegenüber; vor uns, unten im Grund, liegt die prächtige Aue und die Orangerie und ringsherum die nahe und ferne Bergkette, dazwischen der Strom, der mitten durch das Tal sich langsam fortzieht", schwärmt der Märchensammler Wilhelm Grimm 1824 in einem Brief über das 1703–11 errichtete Kasseler Orangerieschloss in der Karlsaue im Fuldatal, in dem sich heute eine Technikausstellung befindet.

"There are no houses opposite. In front of us, down below, lie the magnificent water meadow and the Orangerie, and all around the near and far chain of mountains. Between them the river wends its way slowly through the valley," Wilhelm Grimm, collector of fairy tales, wrote in 1824, enthusing about Kassel's Orangerie Palace. The palace was built between 1703 and 1711 in the Karlsaue park in the Fulda Valley. It now houses an exhibition of technology.

«Aucune maison ne nous fait face; devant nous, dans le vallon herbeux, s'étend la magnifique noue et l'Orangerie et tout autour la chaîne de montagnes proches et lointaines, entre elles le fleuve qui, à travers la vallée, s'éloigne lentement», s'enthousiasmait le compilateur de contes, Wilhelm Grimm, dans une lettre datant de 1824, à propos du château de l'Orangerie de Cassel, érigé entre 1703 et 1711 sur la Karlsaue, dans la vallée de la Fulda, où se trouve aujourd'hui une exposition technique.

Synonym für Erholung ist in Kassel die Karlsaue, eine barocke Parkanlage im Fuldatal, die ihren Namen Landgraf Karl von Hessen-Kassel (1654–1730) verdankt. Sie ist durchzogen von Kanälen und kleinen Bächen. In ihrer Mitte befindet sich ein See mit der kleinen, künstlich aufgeschütteten Schwaneninsel mit ihrem an Italien erinnernden Tempelchen.

The Karlsaue, a baroque park in the Fulda Valley, is a synonym for recreation in Kassel. It was named after Landgrave Karl von Hessen-Kassel, 1654–1730. The park is crisscrossed by canals and small streams. In the middle is a lake with a small artificial island, the Schwaneninsel ("swan island"), on which a small Italianate temple stands.

La «Karlsaue» – parc à caractère baroque dans la vallée de la Fulda – doit son nom au landgrave Karl von Hessen-Kassel (1654–1730). Elle est, à Cassel, synonyme de détente. Parcourue de canaux et de petits ruisseaux on y trouve, au centre, un lac et la petite île aux cygnes «Schwaneninsel» élevée artificiellement, où trône un petit temple évoquant l'Italie.

Geschichtsträchtige Landschaften zu Füßen des Herkules

Historic landscapes at the feet of Hercules

Pays chargés d'histoire au pied d'Hercule

An der Mündung der Diemel in die Weser (vorn rechts im Bild) wurde Bad Karlshafen 1699 durch Landgraf Karl von Hessen-Kassel gegründet. Er wollte mit dieser Stadtanlage den nördlichsten Punkt seiner Landgrafschaft auf dem Wasserweg mit der Hauptstadt Kassel verbinden. Die ersten Bewohner in der Planstadt waren Hugenotten, die hier eine neue Heimat fanden.

Landgrave Karl von Hessen-Kassel founded Bad Karlshafen in 1699 where the Diemel flows into the Weser (in the foreground on the right). His idea in building a town in this location was to establish a water link between the northernmost point of his landgraviate and the capital city, Kassel. The first inhabitants of the planned town were Huguenots, who found a new home here.

C'est à l'endroit où confluent la Diemel et la Weser (à droite, au premier plan de l'image) que le landgrave Karl von Hessen-Kassel fonda, en 1699, Bad Karlshafen. En construisant cette ville, il entendait relier, par la voie fluviale, le point le plus septentrional de son comté à la capitale, Cassel. Les premiers habitants de cette ville dressée sur plan furent des huguenots qui y trouvèrent une nouvelle patrie.

festen Theaterbau Deutschlands. Das 1779 erbaute Fridericianum, Zentrum der documenta, einer seit 1955 alle fünf Jahre stattfindenden und international viel beachteten Ausstellung zeitgenössischer Kunst, war das erste öffentliche Museum auf dem europäischen Kontinent. Nur wenige Minuten vom Friedrichsplatz entfernt werden geschichtliche und volkskundliche Sammlungen im Hessischen Landesmuseum präsentiert. In der Orangerie erinnern die ausgestellten Instrumente des Astronomischen Kabinetts an die erste europäische Sternwarte, die 1558 im Zwehrenturm eingerichtet wurde. Am Rand der Oberneustadt bittet die Neue Galerie zur Malerei und Plastik von 1750 bis zur Neuzeit. Vieles erinnert noch heute an die Hugenotten, die am Ende des 17. Jahrhunderts nach Kassel kamen und für die Landgraf Karl eigens ein neues Stadtviertel mit der achteckigen Karlskirche im Zentrum anlegen ließ.
Die Hugenotten und die aus den savoyischen Alpentälern vertriebenen Waldenser gründeten im nordhessischen Raum zahlreiche neue Ortschaften. Auf einem Ausflug in die grüne Nordspitze des Landes lohnt sich ein Abstecher in die Hugenottendörfer rund um die

city of Kassel has had a special relationship with the arts. Landgrave Moritz in 1604/05 built Germany's first permanent theatre, the Ottoneum, in Kassel. It is now a natural history museum. The Fridericianum, built in 1779, was the first public museum in mainland Europe. It is now the main venue for documenta, an internationally highly respected exhibition of contemporary art that has been staged every five years since 1955. Just a few minutes from Friedrichsplatz, historical and ethnological collections are on show in the Hessisches Landesmuseum. The instruments displayed in the Astronomical Cabinet of the Orangerie are a reminder that the first European observatory was established in 1558 in the Zwehrenturm tower. On the edge of the Oberneustadt (upper new town), the Neue Galerie shows paintings and sculptures from 1750 to the modern era. The city still has many reminders of the Huguenots who came to Kassel in the late seventeenth century and for whom Landgrave Karl specially commissioned the building of a new neighbourhood centred around the octagonal Karlskirche church.
The Huguenots and the Vaudois (Waldensians) expelled from the Alpine valleys of Savoy founded numerous new settlements in northern Hesse. On a trip to the green northern tip of the state it is worth making a detour to the Huguenot villages of Kelze, Carlsdorf,

construit en dur. Le Fridericianum bâti en 1779, centre de la documenta, exposition d'art contemporain qui, depuis 1955, a lieu tous les cinq ans et est mondialement réputée, fut le premier musée public sur le continent européen. À quelques minutes à peine de la Friedrichsplatz, des collections historiques et ethnologiques sont présentées au Musée du Land de Hesse (Hessisches Landesmuseum). À l'Orangerie, les instruments exposés au Cabinet astronomique rappellent que le premier observatoire fut aménagé en 1588 dans la Zwehrenturm. À la périphérie de la Oberneustadt, la Neue Galerie convie le visiteur à admirer peintures et sculptures de 1750 aux temps modernes. Bien des choses rappellent de nos jours encore les Huguenots qui vinrent s'établir à Cassel à la fin du XVIIe siècle et à l'intention desquels le landgrave Karl fit construire un nouveau quartier abritant en son centre la Karlskirche, une église de forme octogonale.
Les Huguenots et les Vaudois, chassés des Alpes savoyardes, fondèrent de nombreuses localités dans le nord de la Hesse. En excursion aux confins verdoyants du nord du pays, le visiteur ne manquera pas de faire un détour par les villages de Huguenots tout autour de la ville à colombage de Hofgeismar: Kelze, Carlsdorf, Friedrichsdorf, Hombressen, Hümme,

Vogelsberg, östliches Hessen und Rhön

Vogelsberg, eastern Hesse and the Rhön

Le Vogelsberg, l'est de la Hesse et la Rhön

Ein traumhafter Rundumblick über den Vogelsberg. Rechts der 144 Meter hohe Fernsehturm auf dem Hoherodskopf. Die zahlreichen Wanderwege und im Winter die Loipen locken viele Besucher an. Im Vordergrund schlängelt sich die Sommerrodelbahn durch die hessische Berglandschaft.

A superb panoramic view of the Vogelsberg. On the right is the 144-metre television tower on the Hoherodskopf summit. Numerous hiking paths and, in winter, cross-country skiing trails, attract large numbers of visitors. In the foreground, the summer toboggan run snakes through the Hessian mountain scenery.

Merveilleuse vue panoramique sur le Vogelsberg. À droite, la tour de télévision haute de 144 mètres, perchée sur le Hoherodskopf. Les nombreux sentiers de randonnée et, en hiver, les pistes de ski de fond, attirent une foule de visiteurs. Au premier plan, la piste de luge d'été serpente à travers cette contrée montagneuse de la Hesse.

Der Vogelsberg mit dem ältesten Naturpark Deutschlands, dem Hohen Vogelsberg, liegt ungefähr 65 Kilometer nordöstlich der Mainmetropole Frankfurt. Das größte zusammenhängende Basaltmassiv Europas ist ein Gebirge, genauer gesagt ein vulkanischer Einzelberg, dessen höchste Gipfel sich auf beinahe 800 Meter erheben. Da der Vogelsberg in den Wintermonaten zumeist eine sichere Schneedecke trägt, ist er auch für Wintersportfreunde aus der weiteren Umgebung ein reizvolles Ziel. Typisch für diese Region sind die fränkischen Haufendörfer mit ihren schönen Fachwerkhäusern. Das Laubacher Schloss, die Lauterbacher Burg und die Heimatmuseen in Schotten und Büdingen beherbergen interessante Schätze von kulturhistorischem Wert. Der bedeutendste Ort des nördlichen Vogelsberges ist das Städtchen Alsfeld, das wegen seiner einmaligen historischen Geschlossenheit zur „Europäischen Modellstadt für Denkmalschutz" erkoren wurde.

Einst nach dem Vorbild von Castel Gandolfo vom Fuldaer Dombaumeister Johann Dientzenhofer für die Fürstäbte Schleiffras und Dalberg konzipiert, ist das Lustschloss Fasanerie in Eichenzell dank Fürstbischof Amand von Buseck zu einer prachtvoll ausgestatteten großen Barockanlage ausgebaut worden. Wilhelm II. von Hessen ließ das Schloss, das während Napoleons Russlandfeldzug als Lazarett genutzt und fast vollständig zerstört wurde, vom Hofbaudirektor Johann Conrad Bromeis

The Vogelsberg with Germany's oldest nature park, the Hoher Vogelsberg, is roughly 65 kilometres northeast of the metropolis of Frankfurt am Main. Europe's largest contiguous basalt massif is a mountain range, or more precisely a single volcanic mountain whose highest peaks are nearly 800 metres high. Since the Vogelsberg usually has a reliable covering of snow in the winter months, it is an attractive destination for winter sports enthusiasts from a wide surrounding area. Typical of this region are Franconian villages known as Haufendörfer with their attractive half-timbered houses. Laubach Palace, Lauterbach Castle and local history museums in Schotten and Büdingen house interesting treasures of historico-cultural significance. The most important place in the northern Vogelsberg is the little town of Alsfeld, which was awarded the status of a model European community for the conservation of historic buildings, in recognition of its unique historic cohesion.

The Fasanerie pleasure palace in Eichenzell was originally designed for Prince Abbots Schleiffras and Dalberg and built by Johann Dientzenhofer, the architect of Fulda Cathedral, on the model of Castel Gandolfo in Italy. It was subsequently extended into a superbly furnished, large baroque complex by Prince Bishop Amand von Buseck. The palace was

Le Vogelsberg avec le plus ancien Parc naturel d'Allemagne, le Hoher Vogelsberg, s'étend à environ 65 kilomètres au nord-est de la métropole des bords du Main, Francfort. Ce massif basaltique, le plus grand d'un seul tenant en Europe, est à vrai dire une seule et unique montagne volcanique dont les plus hauts sommets atteignent presque 800 mètres. Recouvert pendant les mois d'hiver d'une couche de neige ferme, le Vogelsberg est également une destination attrayante pour les amateurs de sports d'hiver venant de régions un peu plus éloignées. Les villages aux maisons groupées irrégulièrement et leurs belles maisons à pans de bois, sont typiques de cette région. Le château de Laubach, la forteresse de Lauterbach ainsi que les musées locaux de Schotten et Büdingen abritent des trésors fort intéressants en matière d'histoire et de civilisation. La plus importante localité du nord du Vogelsberg est la petite ville d'Alsfeld élue «ville-modèle européenne pour une protection exemplaire des monuments» en raison de son homogénéité historique hors pair.

Conçu jadis à l'exemple de Castel Gandolfo par le bâtisseur de la cathédrale de Fulda, Johann Dientzenhofer, à l'intention des princes-abbés Schleiffras et Dalberg, le château de plaisance «Fasanerie» à Eichenzell fut magnifiquement transformé en un grand ensemble baroque grâce au prince-évêque Amand von Buseck. Le directeur des constructions à la cour, Johann Conrad Bromeis, fut chargé par Guillaume II de Hesse de remettre en état et d'aménager, de 1825 à 1827, dans le

Ein ICE rast bei Kleba, dem nördlichsten Ortsteil der Marktgemeinde Niederaula, durch das hessische Bergland. Die Trasse wurde 1991 durch die Deutsche Bundesbahn für die Neubaustrecke Hannover–Würzburg in Betrieb genommen. Dahinter die Autobahn A 7 von Kassel nach Frankfurt.

A high-speed train rushes through the Hessian hills near Kleba, the northernmost district of the market town of Niederaula. Deutsche Bundesbahn took this stretch of track into operation in 1991 for the new line from Hannover to Würzburg. Behind it is the A 7 autobahn from Kassel to Frankfurt.

Un train ICE file à travers le pays montagneux hessois près de Kleba, le quartier le plus septentrional de la commune de Niederaula. Ce tronçon a été mis en service en 1991 par la Deutsche Bundesbahn (les chemins de fer allemands) pour la nouvelle ligne Hanovre–Würzburg. Derrière, l'autoroute A 7 de Kassel à Francfort.

Die romantische Burgenstadt Schlitz liegt friedlich eingebettet zwischen Vogelsberg, Rhön und Knüll. Das Bild zeigt die auf einem Hügel gelegene Innenstadt mit dem „Burgenring". Der Turm der Stadtkirche in der Mitte und die Türme der Vorderburg links und der Hinterburg rechts bilden eine charakteristische Silhouette.

The romantic town of Schlitz and its castles nestle peacefully between the Vogelsberg, the Rhön and the Knüll. The picture shows the hilltop town centre with its "ring of castles." The tower of the Stadtkirche in the centre and the towers of the Vorderburg ("front castle") on the left and the Hinterburg ("back castle") on the right form a characteristic skyline.

Schlitz, romantique ville aux nombreux châteaux forts, repose sereinement entre les monts Vogelsberg, Rhön et Knüll. La photo montre le centre-ville perché sur une colline avec le «Burgenring», la «ceinture de châteaux forts». Le clocher de la Stadtkirche, au milieu, ainsi que les tours du Vorderburg, à gauche, et du Hinterburg, à droite, sont caractéristiques de sa silhouette.

Die Stadt Alsfeld erhielt für die Sicherung ihrer alten Baustrukturen im Jahr 1975 die Auszeichnung „Europäische Modellstadt für Denkmalschutz". Über 400 Fachwerkhäuser sind in der Altstadt erhalten. Im Zentrum erhebt sich die Walpurgiskirche, mit deren Bau im 13. Jahrhundert begonnen wurde, links daneben Rathaus und Marktplatz.

The town of Alsfeld in 1975 was awarded the status of a model European community for the conservation of historic buildings in recognition of the way it has protected its old buildings. In the historic town centre, more than 400 half-timbered buildings have been preserved. Towering in the centre is the Walpurgiskirche, begun in the thirteenth century. To the left of it are the Town Hall and the marketplace.

La ville de Alsfeld s'est vue décerner, en 1975, le titre de «ville européenne modèle pour la protection des monuments historiques» pour avoir su sauvegarder ses anciennes structures architecturales. Plus de 400 maisons à colombages ont été préservées dans le centre-ville historique. Au centre se dresse la Walpurgiskirche dont la construction a commencé au XIIIe siècle; à côté, sur la gauche, l'hôtel de ville et la Place du Marché.

Auf einer Bergkuppe, malerisch aus dem Schwalmtal aufsteigend, eingebettet in das Grün uralter Bäume, liegt das Schlossgut Altenburg. Der zu Anfang des 18. Jahrhunderts neu erbaute Sitz der Freiherren von Riedesel, vorne links, wird überragt von der barocken Haube des Kirchturms.

Altenburg manor stands on a hilltop rising picturesquely from the Schwalm Valley, and set amidst the green of ancient trees. The baroque cupola of the church towers over the seat of the Barons of Riedesel, front left, which was rebuilt in the early eighteenth century.

Juché sur la croupe d'une colline montant pittoresquement de la vallée de la Schwalm et enchâssé dans le vert d'arbres séculaires, repose le domaine du château d'Altenburg. Le siège des barons de Riedesel, reconstruit à neuf au début du XVIIIe siècle (à l'avant, à gauche), est surmonté par la coiffe baroque du clocher de l'église.

Vogelsberg, östliches Hessen und Rhön

Vogelsberg, eastern Hesse and the Rhön

Le Vogelsberg, l'est de la Hesse et la Rhön

Seit der Erhebung Fuldas zum Fürstbistum im Jahr 1752 gilt die ehemalige Stiftskirche als Dom. In der Krypta steht das Grab des heiligen Bonifatius, des Apostels der Deutschen. Hinter dem Dom erheben sich die Gebäude des 744 gegründeten ehemaligen Klosters Fulda. Seit 1867 trifft sich hier die deutsche Bischofskonferenz. Rechts vom Dom die um 820 erbaute Kirche St. Michael, einer der bedeutendsten mittelalterlichen Sakralbauten Deutschlands.

Ever since Fulda was elevated to a Prince Bishopric in 1752, the former collegiate church has been regarded as a cathedral. In its crypt is the grave of St Boniface, apostle of the Germans. Behind the cathedral are the buildings of the former monastery, founded in 744. Since 1867, it has been the meeting place of the German (Catholic) Bishops' Conference. To the right of the cathedral is St Michael's Church, built in about 820, one of the most important mediaeval sacred buildings in Germany.

Depuis que Fulda, ville des princes-abbés est passée, en 1752, au rang d'évêché, l'ancienne collégiale fait fonction de cathédrale. La crypte renferme le tombeau de St-Boniface, l'apôtre des Allemands. Derrière la cathédrale se dressent les bâtiments de l'ancien monastère de Fulda, fondé en 744. La Conférence des Evêques allemands s'y tient depuis 1867. À droite de cet édifice, l'église St-Michael, l'un des plus importants édifices religieux d'Allemagne, remontant au Moyen Âge.

in den Jahren 1825 bis 1827 im klassizistischen Stil instand setzen. Der heutige Besitzer, Landgraf Moritz von Hessen, führt das mit bemerkenswertem Interieur eingerichtete Haus als Museum. Von der Eichenzeller Sommerresidenz der Fürstäbte aus empfiehlt sich ein Besuch im nahe gelegenen Fulda, dem eigentlichen Bischofssitz, dessen Wurzeln in dem im Auftrag von Bonifatius 744 gegründeten Benediktinerkloster liegen. Unter karolingischer und sächsischer Herrschaft erlebte die Klosterschule ihre große Blüte, viele Künstler und Gelehrte, wie etwa Rabanus Maurus, arbeiteten hier. Der privilegierten Stellung entsprechend war die Klosterkirche im 9. Jahrhundert in Größe und Ausstattung die bedeutendste nördlich der Alpen. Anstelle der frühromanischen Abteikirche wurde zu Beginn des 18. Jahrhunderts, ebenfalls nach Plänen von Johann Dientzenhofer, der Domneubau errichtet – ein barockes Gesamtkunstwerk über dem Grab des heiligen Bonifatius. Seinem Wunsch entsprechend wurde der im friesischen Dokkum von Heiden erschlagene Apostel der Deutschen 754 in der Kirche seines Lieblingsklosters beigesetzt. Sehenswert sind auch die Kirchenschätze im Dommuseum, die wie das gesamte Fuldaer Stadtbild von der barocken Prachtentfaltung der Kirchenresidenz zeugen.
Die Rhön, das höchste hessische Gebirge, erstreckt sich zwischen der oberen Fulda und Werra und reicht im Süden bis zur Fränkischen Saale. Waldfreie Hochlagen und

used as a military hospital during Napoleon's Russian campaign and almost completely ruined. Between 1825 and 1827, Wilhelm II von Hessen had it reinstated in classicist style by the court director of works, Johann Conrad Bromeis. The present owner, Landgrave Moritz von Hessen, runs the house with its remarkable interior as a museum. From this summer residence of prince abbots in Eichenzell, it is advisable to pay a visit to nearby Fulda, the actual diocesan town, the roots of which go back to the Benedictine monastery established by order of Boniface in 744. The monastery school had its heyday under Carolingian and Saxon rule, when many artists and scholars such as Rabanus Maurus worked there. In keeping with its privileged rank, in the ninth century the abbey church was the most important north of the Alps in terms of size and furnishings. In the early eighteenth century, a new cathedral was built to replace the early Romanesque abbey. It, too, was designed by Johann Dientzenhofer, who created a Baroque synthesis of the arts over the grave of St Boniface, the apostle of the Germans, who in accordance with his wish had been buried in 754 in the church of his favourite monastery after being slain by heathens in Dokkum in Frisia. Also of interest are the church treasures in the cathedral museum, which, like the entire townscape of

style néoclassique, ce château utilisé comme hôpital militaire pendant la campagne de Russie de Napoléon et presque entièrement détruit. L'actuel propriétaire, le landgrave Moritz von Hessen, a fait un musée de cet édifice doté d'intérieurs remarquablement meublés. De la résidence d'été des princes-abbés à Eichenzell, on pourra se rendre à Fulda, ville proche et siège épiscopal proprement dit dont l'origine remonte à l'abbaye bénédictine fondée en 744 à la demande de St-Boniface. L'École abbatiale connut son apogée sous la domination carolingienne et saxonne. De nombreux artistes et savants tel Rabanus Maurus y travaillèrent. Conformément à son statut privilégié, l'église conventuelle était au IXe siècle la plus importante au nord des Alpes pour ce qui est de ses dimensions et de sa décoration intérieure. À la place de l'église conventuelle du début de l'art roman, la construction de la nouvelle cathédrale fut, au début du XVIIIe siècle, également réalisée selon les plans de Johann Dientzenhofer – une œuvre d'art totale du baroque élevée au-dessus du tombeau de St-Boniface. Comme il l'avait souhaité, l'apôtre des Allemands, assommé par des païens dans le village frison de Dokkum, fut inhumé en 754 dans l'église de son abbaye préférée. Les trésors dévotionnels du Dommuseum qui témoignent, de même que l'ensemble du paysage urbain de Fulda, de la magnificence baroque de cette résidence ecclésiastique sont également dignes d'intérêt.
La Rhön, le plus haut massif montagneux de la Hesse, se situe entre le cours supérieur de

Vogelsberg, östliches Hessen und Rhön   Vogelsberg, eastern Hesse and the Rhön   Le Vogelsberg, l'est de la Hesse et la Rhön

Die Wasserkuppe in der Rhön, mit 950 Meter über Normalnull der höchste Berg Hessens, gilt als die Geburtsstätte des Segelfluges. Seit 1987 präsentiert hier ein Museum die über 100-jährige Geschichte und die technische Entwicklung dieser motorlosen Flugart.

The Wasserkuppe, Hesse's highest mountain, stands 950 metres above sea level. It is regarded as the birthplace of gliding. A local museum opened in 1987 traces the history and development of this engine-less way of flying back over more than a century.

La Wasserkuppe, dont les 950 mètres d'altitude en font le plus haut sommet de la Hesse, passe pour être le berceau du vol à voile. Depuis 1987 un musée y présente l'histoire plus que centenaire et le développement technique de l'art du vol plané.

Vorangehende Doppelseite: Die Landschaft um den Hohen Vogelsberg ist der älteste Naturpark Deutschlands (1957). Der Vogelsberg, das größte zusammenhängende Basaltmassiv Europas, entstand im Tertiär, also vor knapp 20 Millionen Jahren. Er bildet die Rhein-Weser-Wasserscheide.

Previous double page: The area around the Hoher Vogelsberg is Germany's oldest nature park, 1957. The Vogelsberg, Europe's largest contiguous basalt massif, was created in the Tertiary period, nearly 20 million years ago. It forms the watershed between Rhine and Weser.

Page double précédente: La contrée entourant le Hoher Vogelsberg est le plus vieux Parc naturel d'Allemagne (1957). Le massif basaltique du Vogelsberg, le plus vaste d'un seul tenant en Europe, a vu le jour à l'époque tertiaire, c'est-à-dire il y a près de 20 millions d'années. Il constitue la ligne de partage des eaux du Rhin et de la Weser.

bewaldete Kuppen sind für die Rhön charakteristisch. Die 950 Meter hohe Wasserkuppe gilt als Geburtsstätte des Segelfluges. In unmittelbarer Nähe sprudelt ein Bächlein, das man „mit den Armen auffangen" kann, aus der Erde hervor. Hier hat die stolze Fulda ihren Ursprung, um bald schon wieder im moorigen Grund zu verschwinden. Östlich der Wasserkuppe liegen große Sümpfe und Moore, von denen das Rote Moor und das Schwarze Moor die bekanntesten sind. In die Landschaft eingebettete Einzelgehöfte und Weiler sind ein reizvolles Landschaftselement und Charakteristikum, das an alpenländische Bilder erinnert.
Das Städtchen Bad Hersfeld liegt, umgeben von waldreicher Landschaft, an den Ausläufern von Rhön, Vogelsberg und Knüll im Tal der Fulda. Im Ferienland Waldhessen wird die gesunde Luft des Reizklimas der Mittelgebirgslandschaft gepriesen. Die 736 gegründete Stadt besitzt ein schönes Rathaus, die malerische Wasserburg Eichhof und die größte romanische Kirchenruine Deutschlands. Die alljährlich in der Kirchenruine stattfindenden Opern- und Theaterfestspiele gehören in ihrer

Fulda, testify to the baroque splendour of this religious seat.
The Rhön, Hesse's highest mountain range, stretches between the upper reaches of the Fulda and Werra rivers and extends as far as the Franconian Saale in the south. Uplands bare of trees and wooded summits are characteristic of the Rhön. The 950-metre-high Wasserkuppe mountain is regarded as the birthplace of gliding. In the immediate vicinity, a stream one can "take into one's arms" emerges from the ground. This is where the proud Fulda rises, before disappearing soon afterwards in bogland. To the east of the Wasserkuppe are extensive swamps and bogs, the best known of which are the Rotes Moor (red bog) and the Schwarzes Moor (black bog). Isolated farms and hamlets embedded in the landscape are a charming element and a feature of the landscape reminiscent of Alpine scenes.
The small town of Bad Hersfeld lies amid thickly wooded countryside in the Fulda Valley in the foothills of the Rhön, Vogelsberg and Knüll. In the holiday areas of Waldhessen, the healthy air of the bracing climate in this low-mountain region is praised. Bad Hersfeld, founded in 736, has a fine town hall, a picturesque moated castle, the Eichhof, and

la Fulda et la Werra et va jusqu'à la Saale franconienne, au sud. Hauts-plateaux dépourvus de forêts et cimes boisées sont caractéristiques de la Rhön. La Wasserkuppe qui culmine à 950 mètres passe pour être le berceau du vol à voile. À proximité immédiate, un petit ruisseau sourd de terre que l'on peut «recueillir à bout de bras». C'est ici que la fière Fulda prend sa source pour disparaître l'instant d'après dans le sol marécageux. À l'est de la Wasserkuppe s'étendent de vastes marais et tourbières, dont le «Rotes Moor» et le «Schwarzes Moor» sont les plus connus. Des fermes isolées, blotties au cœur du paysage, ainsi que de petites bourgades constituent les éléments pleins de charme caractéristiques de cette région qui évoque certaines contrées alpestres.
Dans son écrin de verdure de la vallée de la Fulda, la petite ville de Bad Hersfeld s'adosse aux contreforts de la Rhön, du Vogelsberg et du Knüll. «Waldhessen», une région de vacances, est prisée pour l'air sain propre au climat vivifiant des montagnes de moyenne altitude. Fondée en 736, la ville possède un bel hôtel de ville, le pittoresque château à douves de Eichhof et les plus importants vestiges d'une église romane en Allemagne. Les festivals de théâtre et d'opéra qui ont lieu tous les ans dans l'ensemble de ces ruines, font partie dans leur originalité des manifestations particulières de l'art théâtral de l'espace

Rotenburg an der Fulda wurde vermutlich im 11. Jahrhundert von den Landgrafen von Thüringen gegründet. Seit der Errichtung des Schlosses (auf unserem Foto nicht zu sehen) im Jahr 1470 war es zeitweise einer der Wohnorte der Landgrafen. Die von 1370 bis 1501 erbaute Stiftskirche St. Maria und Elisabeth bestimmt das Bild der Fachwerkstadt. Die Fuldaschleuse unten im Bild ist mehr als 400 Jahre alt.

Rotenburg an der Fulda is thought to have been founded in the eleventh century by the Landgraves of Thuringia. After a palace (not in the picture) was built in 1470, it became the landgraves' occasional place of residence. The collegiate church of St Mary and St Elizabeth, built between 1370 and 1501, dominates the townscape and its half-timbered buildings. The lock on the Fulda at the bottom of the picture is over 400 years old.

Rotenburg sur la Fulda fut probablement fondé au XIe siècle par les landgraves de Thuringe. Depuis l'édification du château (non représenté sur la photo), en 1470, la ville fut pendant certaines périodes l'un des domiciles des landgraves. L'église abbatiale Ste-Marie et Élisabeth, construite de 1370 à 1501, marque la physionomie de cette ville à colombages. L'écluse sur la Fulda (en bas de la photo) a plus de 400 ans.

Eigenart zu den besonderen Akzenten der Theaterkunst im deutschen Sprachraum. In der näheren Umgebung laden die Burg Herzberg bei Breitenbach, das Wasserschloss Friedewald, das Schloss Philippsthal, die Burg Tanneck bei Nentershausen, die Burg Ludwigseck in Ludwigsau und die Burg Neuenstein zu einem Besuch ein. Eingebettet in die Landschaft zwischen den Ausläufern des Knüll und des Stölzinger Berglandes, breitet sich im Fuldatal das Städtchen Rotenburg aus, dessen Bild im Wesentlichen vom Landgrafenschloss und den alten Fachwerk- und Steinhäusern bestimmt wird.

Germany's largest Romanesque ruined church. The annual festivals of opera and theatre held in the ruins are, in their own idiosyncratic way, a theatrical highlight of the German-speaking countries. Not far away, Herzberg Castle near Breitenbach, Friedewald moated castle, Philippsthal Palace, Tanneck Castle near Nentershausen, Ludwigseck Castle in Ludwigsau, and Neuenstein Castle are all interesting places to visit. Embedded in the landscape between the foothills of the Knüll and the Stölzingen uplands, the small town of Rotenburg spreads across the Fulda Valley. Its appearance is defined mainly by the Landgrave's Palace and by old half-timbered and stone buildings.

germanophone. Non loin de là, le château fort de Herzberg près de Breitenbach ainsi que le castel d'eau de Friedewald, le château de Philippsthal, Burg Tanneck, près de Nentershausen, Burg Ludwigseck à Ludwigsau et Burg Neuenstein méritent tous une visite. Enchâssée entre les contreforts du Knüll et de la Stölzinger Bergland, la petite ville de Rotenburg s'étale dans la vallée de la Fulda, caractérisée en majeure partie par le château des landgraves et ses maisons à colombage ou en pierre.

Kanuwanderer auf der Lahn bei Marburg. Die Lahn entspringt im Rothaargebirge und durchfließt eine sehr abwechslungsreiche Landschaft, bis sie bei Lahnstein in den Rhein mündet. Stolze Schlösser und Burgen, eindrucksvolle Kirchen, Klöster und Dome legen Zeugnis ab von der jahrhundertealten Kultur des Lahntals.

Canoeists on the River Lahn near Marburg. The Lahn rises in the Rothaar Mountains and passes through a very varied landscape before flowing into the Rhine at Lahnstein. Stately palaces and castles, impressive churches, monasteries and cathedrals are testimony to the centuries-old culture of the Lahn Valley.

Des canoéistes sur la Lahn près de Marburg. La Lahn prend sa source dans le Rothaar-gebirge et baigne un paysage aux aspects très variés jusqu'à ce qu'elle se jette dans le Rhin, à Lahnstein. De fiers châteaux et forteresses médiévales, d'imposantes églises, des abbayes et des cathédrales témoignent de la culture séculaire de la vallée de la Lahn.

Flüsse haben eine magische Anziehungskraft, bilden politische Grenzen, Handelswege und Anziehungspunkte erster Niederlassungen. Auf dem 245 Kilometer langen Weg der Lahn von der Quelle im Rothaargebirge bis zur Mündung in den Rhein bei Lahnstein erzählen steinerne Zeitzeugen vom 12. Jahrhundert bis in unsere Zeit unvergessliche Geschichten. Umgeben von ausgedehnten waldreichen Bergen, liegt im oberen Lahntal Biedenkopf, das mit seinen alten Fachwerkhöfen und romanischen Dorfkirchen auf eine 750-jährige bewegte Geschichte zurückblicken kann. Sehenswert sind die schmucken Fachwerk-fassaden mit ornamentalen Kratzputzfeldern, eine typische Handwerkskunst der Gemeinden im Marburger Land.

Wo sich das waldreiche enge Lahntal nach Süden weitet, wachte schon früh eine Burg über Handelswege, Siedlung und Furt – Trutz der Landgrafen von Thüringen zu Beginn des 12. Jahrhunderts gegen benachbarte Herren. Im Schutz der Burg siedelten Händler und Handwerker. Von der Wartburg kam Landgräfin Elisabeth, die hier in Marburg ihr Hospital gründete. Elisabeth war die Tochter des ungarischen Königs Andreas II. Schon im zarten Alter von zwanzig Jahren dreifache Mutter und Witwe, widmete sie sich den Schwachen und Kranken. Ihr Vorbild wirkt bis in die

Rivers have magical powers of attraction. They form political borders and trading routes and are attractive locations for initial settlements. On the Lahn's 245-kilometre journey from its source in the Rothaar Mountains to where it flows into the Rhine near Lahnstein, stone witnesses dating from the twelfth century to the present era tell unforgettable tales. In the upper Lahn Valley, surrounded by extensive, densely wooded mountains, is Biedenkopf. With its old half-timbered farmsteads and Romanesque village churches, it can look back on 750 years of turbulent history. Of special interest are its neat half-timbered façades with ornamental plaster insets, a typical craft of communities in the Marburg region.

At the spot where the narrow, densely wooded Lahn Valley opens out toward the south, from early times a castle stood guard over trading routes, a settlement and ford. It was built in the early twelfth century to defend the Land-graves of Thuringia from neighbouring rulers. Traders and craftsmen settled within the castle's protection. Landgravine Elizabeth, daughter of King Andreas II of Hungary, came from

Des fleuves émane une magie, ils constituent des frontières politiques, des voies de communication et des pôles d'attraction pour un premier établissement. Sur les 245 kilomètres du long parcours de la Lahn, de sa source dans le Rothaargebirge à sa confluence avec le Rhin près de Lahnstein, des témoins de pierre racontent de mémorables histoires, du XIIe siècle jusqu'à notre temps. Entourée de montagnes boisées de vaste envergure, la ville de Biedenkopf s'étale au long du cours supérieur de la vallée de la Lahn, avec ses vieilles fermes à pans de bois, ses églises de village romanes. Elle s'enorgueillit d'une histoire mouvementée vieille de 750 ans. Les coquettes façades à colombage avec leurs panneaux en sgraffite, expression du savoir-faire artisanal typique des communes du Pays de Marburg sont dignes d'intérêt.

Là où l'étroite vallée boisée de la Lahn s'évase en direction du sud, un château fort a veillé très tôt sur les voies de communication marchandes, sur l'établissement de colonies et sur le gué. Ouvrage défensif érigé par les land-graves de Thuringe au début du XIIe siècle, il protégeait l'endroit d'éventuelles attaques des seigneurs du voisinage. En sécurité à l'abri du château fort, marchands et artisans vinrent s'y

Unterwegs im Lahntal

Along the Lahn Valley

En chemin dans la vallée de la Lahn

Marburg an der Lahn ist nicht nur geografischer, sondern auch geistiger und kultureller Mittelpunkt der Region. Das Landgrafenschloss – oben im Bild – thront über der malerischen Altstadt. Links unterhalb des Schlosses die Lutherkirche, auch Marienpfarrkirche genannt. Geprägt wird das Leben der Stadt von der über 475-jährigen Universität. Vorn im Bild die neogotische Alte Universität. Ihre prachtvolle Aula wird als Festsaal genutzt.

Marburg an der Lahn is not only the geographical, but also the intellectual and cultural centre of the region. The Landgraves' Palace at the top of the picture towers above the picturesque old town. Below the palace to the left is the Luther Church, also known as St Mary's parish church. Life in the city is dominated by the university, which is over 475 years old. In the foreground is the neo-Gothic Old University. Its magnificent main lecture theatre is used as a festival hall.

Marburg en bordure de la Lahn est non seulement le centre géographique mais aussi spirituel et culturel de la région. Le château des landgraves – en haut sur la photo – surplombe la vieille ville pittoresque. À gauche, en bas du château, la Lutherkirche, appelée également Marienpfarrkirche. La vie urbaine est empreinte par l'université qui compte plus de 475 ans d'âge. Au premier plan, l'Ancienne Université de style néogothique. La magnifique Aula est utilisée comme salle des fêtes.

Gegenwart. Das mächtige Landgrafenschloss, Ort des berühmten Religionsgesprächs zwischen Luther und Zwingli, überragt die schönen Fachwerkbauten der alten Universitätsstadt. Im Tal erhebt sich der Gründungsbau der deutschen Gotik, die Elisabethkirche. Mitten aus der flachen, sumpfigen Ohmebene steigt ein einzelner Berg empor, auf dem das Städtchen Amöneburg liegt. Ihrer Lage auf dem 365 Meter hohen Basaltkegel verdankt die „Ohmburg" ihren Namen. Zahlreiche Funde deuten darauf hin, dass der Berg bereits in vorchristlicher, keltischer und fränkischer Zeit besiedelt war. 721 bekehrte Bonifatius hier zwei chattische Edle und gründete ein Kloster, Ausgangspunkt für die spätere Missionierung des gesamten nordhessischen Raumes und Thüringens. Im 12. Jahrhundert in den Besitz der Mainzer Erzbischöfe gelangt, wurde die Burg erweitert, befestigt und zum kurfürstlichen Schloss ausgebaut. Die in den Jahren 1978–1980 ausgegrabenen und rekonstruierten Ruinen stammen aus dem 17. Jahrhundert.

Links und rechts des Flusslaufs geradezu mit Burgen oder deren Ruinen gespickt, reiht die Lahn hinter Marburg viele liebenswerte Städte wie an einer Perlenkette auf.

the Wartburg and founded a hospital here in Marburg. At the tender age of 20, already a widow and mother of three children, she devoted her life to the weak and the sick. She is still regarded as a role model. The mighty landgravial palace, scene of the famous religious debate between Martin Luther and Huldrych Zwingli, towers over fine half-timbered buildings in this ancient university town. St Elizabeth's Church, the original example of German Gothic architecture, stands in the valley.

A single hill arises out of the flat, swampy Ohm plain. On it stands the little town of Amöneburg. Ohm Castle owes its name to its location atop this 365-metre basalt summit. Numerous finds indicate that there were settlements on the hill in the pre-Christian, Celtic and Frankish eras. Boniface converted two Chatti nobles here in 721 and founded a monastery that later served as a base for evangelising the entire north Hessian region and Thuringia. In the twelfth century, after falling into the possession of the Archbishops of Mainz, the castle was extended, fortified

installer. De la Wartburg arriva la landgrave Élisabeth qui fonda son hôpital à Marburg. Élisabeth était la fille d'Andreas II, roi de Hongrie. Dès l'âge de vingt ans trois fois mère et veuve, elle consacra sa vie aux faibles et aux malades. Son exemple est demeuré vivant jusqu'à nos jours. Le puissant château des landgraves, théâtre des célèbres débats de religion entre Luther et Zwingli (Colloque de Marburg) surplombe les splendides édifices à colombage de cette ancienne ville universitaire. Dans la vallée se dresse l'une des premières grandes réalisations de l'art gothique en Allemagne: l'église Ste-Élisabeth.

Au beau milieu de la plaine d'Ohm, marécageuse et sans saillie, s'élève, dans le paysage, un mont isolé sur lequel repose la petite ville de Amöneburg. La «Ohmburg» doit son nom à sa posture sur le cône de basalte haut de 365 mètres. De nombreux objets trouvés au cours de fouilles permettent de penser qu'elle fut déjà peuplée à l'époque pré-chrétienne, celtique et franque. En 721, Boniface y convertit deux membres de la noblesse de la tribu des Chattes et fonda un monastère, point de départ de l'évangélisation postérieure de l'ensemble de l'espace nord-hessois et de la Thuringe. Entré en possession des archevêques de Mayence au XIIe siècle, le château médiéval fut agrandi, fortifié et aménagé en résidence des princes-électeurs. Les ruines mises au jour en 1978–1980, puis reconstituées, datent du XVIIe siècle.

Als Mittelpunkt des nach ihr benannten Beckens ist die 365 Meter hoch gelegene Stadt Amöneburg ein beliebtes Ausflugsziel mit herrlichem Fernblick. Schon die Kelten besiedelten den Bergkegel an der Ohm. Die erste urkundliche Erwähnung der „Amanaburch" erfolgte im Jahr 721, als Bonifatius hier ein Kloster gründete. Später hielten die Mainzer Erzbischöfe zäh an der Höhenfestung inmitten dieses rein protestantischen Gebietes fest.

The town of Amöneburg lies at an altitude of 365 metres and is at the centre of the basin named after it. It is a popular place for excursions with superb long-distance views. The conical hill by the Ohm was settled at an early stage by Celts. The first recorded mention of an "Amanaburch" dates back to 721 when Boniface founded a monastery there. In later times, the Archbishops of Mainz held on doggedly to their hilltop fortress amidst this entirely Protestant region.

Située au centre du bassin qui porte son nom, la ville de Amöneburg, perchée à 365 mètres de hauteur, est un but d'excursion très prisé pour la magnifique vue qu'elle offre sur le paysage alentour. Les Celtes s'étaient déjà établis sur ce mont conique baigné par la Ohm. Le «Amanaburch» apparaît pour la première fois dans les annales en 721 lorsque St-Boniface y fonda un monastère. Plus tard, les archevêques de Mayence défendirent âprement cette forteresse située au beau milieu d'une région uniquement protestante.

Blick auf das Zentrum der Universitäts-, Kultur- und Einkaufsstadt Gießen. Nahezu der gesamte historische Stadtkern wurde im Dezember 1944 bei einem Bombenangriff vernichtet. Heute sind mehr als ein Drittel der 80 000 Einwohner Studenten. Das Mathematikum und das Originallabor des Chemikers Justus von Liebig stellen einzigartige Wissenschaftsmuseen dar.

A view of the centre of Giessen, a university town and a cultural and shopping centre. Almost the entire historic heart of the town was destroyed in a 1944 air raid. Now, over a third of its 80,000 inhabitants are students. The Mathematikum and the original laboratory of the chemist Justus von Liebig are unique scientific museums.

Vue sur le centre de Gießen, ville universitaire, centre culturel et commercial. Presque tout le noyau urbain historique de la ville fut anéanti en décembre 1944, lors d'une attaque aérienne. Aujourd'hui plus d'un tiers de ses 80 000 habitants sont des étudiants. Le Mathematikum et le laboratoire originel du chimiste Justus von Liebig représentent des musées scientifiques uniques en leur genre.

Seit 1689/90 Sitz des höchsten Zivilgerichts im Alten Reich, genoss Wetzlar als deutsche „Hauptstadt des Rechts" hohes Ansehen. Goethes erster Roman „Die Leiden des jungen Werthers" (1774) hat hier seinen Schauplatz. Blick auf die von der Lahn umflossene historische Altstadt mit Wetzlars Wahrzeichen, dem Dom. Links die Alte Lahnbrücke.

The supreme civilian court of the Holy Roman Empire was located in Wetzlar from 1689/90. As the German "capital of justice," the town enjoyed great prestige. It was also the setting of Goethe's first novel, The Sorrows of Young Werther, 1774. This is a view of the historic old town and Wetzlar's emblem, the cathedral, with the Lahn flowing round it. On the left is the Old Bridge across the Lahn.

Siège du tribunal civil suprême de l'ancien empire depuis 1689/90, Wetzlar jouissait d'un grand prestige en qualité de «capitale du droit» allemand. Elle est le théâtre du premier roman de Goethe, «Die Leiden des jungen Werthers» (1774). Vue sur le centre historique que la Lahn entoure de ses eaux avec l'emblème de Wetzlar, la cathédrale. À gauche, le Vieux Pont sur la Lahn.

Das 1197 erstmals urkundlich erwähnte Gießen, bedeutendstes wirtschaftliches und kulturelles Zentrum in Mittelhessen, wurde im Zweiten Weltkrieg zu mehr als zwei Drittel zerstört, darunter auch die historische Substanz der Altstadt. Nur wenige bedeutende Einzelbauten, wie das Neue Schloss und das Zeughaus aus dem 16. Jahrhundert, haben den Bombenangriff 1944 überstanden oder sind wiederaufgebaut worden. Der Chemiker Justus von Liebig (1803–1873), Namenspatron der ortsansässigen Universität, hatte in Gießen von 1824 bis 1852 seine Wirkungsstätte. In den Räumen des ehemaligen chemischen Institutes befindet sich seit 1920 das Liebig-Museum.

„In Wetzlar hat sich die Luft der Goethezeit noch erhalten. Hier ist eine richtige Wunderkraft am Werk gewesen, es ist, als sei das Jahrhundert damals stehen geblieben vor Begeisterung, als Deutschlands stürmischer junger Genius seinen Wetzlarer Frühling und Sommer erlebte", schwärmt der Erzähler, Reiseschriftsteller, Essayist und Journalist Kasimir Edschmid von dem Ort, an dem Goethe sich in die bildhübsche Charlotte Buff verliebte. In der Küche des heute so genannten Lottehauses schnippelte er Bohnen für seine Angebetete, im „Staatszimmer" ließ er sich von ihr

and upgraded into an electoral palace. Ruins excavated between 1978 and 1980 date back to the seventeenth century.

Beyond Marburg, a host of charming towns are strung like pearls along the Lahn, with castles or castle ruins peppering the river's left and right banks. Giessen, the first recorded mention of which dates back to 1197, is central Hesse's main economic and cultural centre. More than two thirds of the town was destroyed in World War II, including almost the entire historic old town. Only a few significant individual buildings, such as the New Palace and the sixteenth-century Armoury, survived the air raids in 1944 or have since been rebuilt. From 1824 to 1852, Giessen was the workplace of chemist Justus von Liebig, 1803–73, after whom the town's university is named. The Liebig Museum has been housed in the premises of the former chemical institute since 1920.

"In Wetzlar, the air of Goethe's day has been preserved. A really miraculous power has been at work here. It is as if the century came to a standstill out of enthusiasm when Germany's

Bordée de part et d'autre de son cours d'une kyrielle de châteaux forts ou de ruines féodales, la Lahn, après Marburg, égrène son chapelet de villes pleines de charme. Plus de deux tiers des bâtiments de Gießen, apparu pour la première fois sur un document officiel en 1197, centre économique et culturel d'importance en Hesse moyenne, furent détruits pendant la Seconde Guerre mondiale. La substance historique de la vieille ne fut pas non plus épargnée. Seuls quelques édifices notoires comme le Neues Schloss (Nouveau Château) et le Zeughaus (Arsenal) issus du XVIe siècle bravèrent les bombardements de 1944 ou ont été reconstruits. Le chimiste Justus von Liebig (1803–1873) qui a donné son nom à l'université locale, a exercé ses fonctions à Gießen de 1824 à 1852. C'est dans les salles de l'ancien institut de chimie que se trouve depuis 1920 le Liebig-Museum.

«À Wetzlar, l'air du temps de Goethe a perduré, une véritable force miraculeuse y a été à l'œuvre, comme si le siècle s'était alors arrêté dans un élan de ferveur, lorsque le jeune génie fougueux connut son printemps et son été de Wetzlar», s'enflammait Kasimir Edschmid, narrateur, écrivain de voyages, essayiste et journaliste à propos de l'endroit où Goethe tomba amoureux de la très jolie Charlotte Buff. Dans la cuisine de ce qui aujourd'hui est appelé la «Lottehaus» (Maison de Lotte), il équeutait des haricots verts pour sa bien-aimée, écoutait les nouveaux lieder et les

Unterwegs im Lahntal

Along the Lahn Valley

En chemin dans la vallée de la Lahn

Die Aartalsperre liegt oberhalb der Ortschaft Bischoffen – ganz vorn im Bild – im Lahn-Dill-Bergland. Zwanzig Inseln im See dienen verschiedenen Vogelarten als Brutgebiet. Der Stausee spielt eine wichtige Rolle im Hochwasserschutz.

The Aar Valley Dam is in the Lahn-Dill hills above the community of Bischoffen, right at the front of the picture. Twenty islands in the lake serve as breeding grounds for various bird species. The man-made reservoir plays an important part in flood control.

Le barrage de la vallée de l'Aar se trouve en amont de la localité de Bischoffen – au premier plan de l'image – dans le pays montagneux de Lahn-Dill. Les vingt îles du lac servent de lieu de nidification à différentes espèces d'oiseaux. Le lac de retenue joue un rôle important en matière de protection contre les crues.

die neuesten Lieder und Tänze am Klavier vorspielen, zwischendurch putzte er den kleinen Geschwistern die Nase oder las griechische Lyrik. Doch Goethe hätte den jungen Werther nie leiden lassen müssen, wenn nicht das Reichskammergericht, das höchste Zivilgericht des Heiligen Römischen Reiches Deutscher Nation, 1689/90 aus dem zerstörten Speyer nach Wetzlar verlegt worden wäre. Goethe wäre nie zu seinem Rechtspraktikum hierhergekommen, und ohne die Richter, Prokuratoren und Advokaten wären viele der prachtvollen Fachwerkhäuser nie gebaut worden. Fast 900 Personen, mit dem Gericht in irgendeiner Weise verbunden, stockten die arg von Krisen, Kriegen und Krankheiten dezimierte Einwohnerzahl wieder auf. In der alten Reichsstadt an der Lahn präsentiert sich die wohlgepflegte, überwiegend in jenen Jahren entstandene Fachwerk-Altstadt rund um die ehemalige Stifts- und Pfarrkirche St. Marien, den „Wetzlarer Dom". Mit dem Ende des Alten Reiches 1806 und der Auflösung des Reichskammergerichts endete die ruhmvolle Epoche Wetzlars sozusagen über Nacht. Wo der Westerwald und das Rothaargebirge aufeinandertreffen und sich raue Hochflächen

stormy young genius lived through his Wetzlar spring and summer," the raconteur, travel writer, essayist and journalist Kasimir Edschmid enthused, describing the town where Goethe fell in love with the pretty-as-a-picture Charlotte Buff. In the kitchen of what is now known as the "Lottehaus" he sliced beans for his beloved. In the parlour, he asked her to play for him the latest songs and dances on the piano. Occasionally, he wiped her young siblings' noses, or read Greek poetry. Yet Goethe would not have had to make his young Werther suffer had the Reichskammergericht, the supreme civilian court of the Holy Roman Empire, not been relocated in 1689/90 from Speyer, which had been destroyed, to Wetzlar. Goethe would never have come to Wetzlar as a trainee lawyer, and without the judges, procurators and advocates, many of the town's fine half-timbered buildings would never have been built. Almost 900 people who were connected in some way with the supreme civilian court boosted the population, which had been severely depleted by crises, wars and disease. In this old imperial

danses qu'il lui demandait de jouer au piano dans la «Staatszimmer», mouchait dans l'intervalle le nez de ses petits frères et sœurs ou lisait des poèmes grecs. Pourtant Goethe n'aurait jamais eu besoin de faire souffrir le jeune Werther si la Reichskammergericht, la Cour suprême du Saint Empire, n'avait été transférée en 1689/90 de la ville de Spire, alors détruite, à Wetzlar. Goethe ne serait jamais venu y faire son stage de juriste et sans les juges, procureurs et avocats, nombre des magnifiques maisons à colombage n'auraient jamais été construites. Presque 900 personnes, qui, de façon ou d'autre, avaient à voir avec le tribunal, firent monter en flèche le chiffre de la population passablement décimée par les crises, les guerres et les maladies. Dans cette ancienne ville impériale des bords de la Lahn, les bâtiments à colombage du noyau urbain, qui virent le jour ces années-là et qui sont entretenus avec soin, se groupent tout autour de l'ancienne église abbatiale Ste-Marie, la «cathédrale de Wetzlar». La disparition de l'ancien empire en 1806 et la dissolution du tribunal suprême sonna, en quelque sorte du jour au lendemain, le glas de l'époque glorieuse de Wetzlar. Là où Westerwald et Rothaargebirge se rejoignent et où de hauts-plateaux austères alternent avec des hauteurs boisées et des vallées encaissées, la ville de Dillenburg représente une porte ouverte sur la région Lahn-Dill.

Dillenburg an der Dill, einem Nebenfluss der Lahn, mit dem Schlossberg und dem 1875 errichteten Wilhelmsturm, dem Wahrzeichen der Stadt. Auf dem Stammsitz des Hauses Nassau-Dillenburg wurde 1533 Wilhelm von Oranien geboren. Links oben die schnurgerade Wilhelmstraße mit dem Hessischen Landesgestüt, das aus dem Hofgestüt der Fürsten von Oranien-Nassau hervorgegangen ist.

A view of Dillenburg on the Dill, a tributary of the Lahn, with the castle hill and the Wilhelmsturm tower, built in 1875, which is the town's emblem. William I, Prince of Orange, was born in 1533 in the ancestral seat of the House of Nassau-Dillenburg. At the top left of the picture are dead straight Wilhelmstrasse, and the Hesse state stud, which has its origins in the court stud of the Princes of Nassau and Orange.

Dillenburg sur la Dill, un affluent de la Lahn avec le Schlossberg et la tour «Wilhelmsturm» érigée en 1875, l'emblème de la ville. C'est là, dans la ville où résidait la famille des Nassau-Dillenburg, que naquit en 1533 Guillaume d'Orange. En haut à gauche, la Wilhelmstraße rectiligne avec les Haras du Land de Hesse dont l'ancêtre est le haras de la cour du prince d'Orange-Nassau.

Ein Blick über die Landesgrenze nahe Herborn in das waldreiche Siegerland in Südwestfalen. Kulturell und sprachlich orientiert sich diese Gegend an den hessischen und Westerwälder Nachbarn.

A view across the state border near Herborn to the densely wooded Siegerland region in southern Westphalia, an area culturally and linguistically oriented toward its neighbours in Hesse and the Westerwald.

Environs de Herborn: regard au-delà de la frontière du land sur le Siegerland, région très boisée du sud de la Westphalie. Tant du point de vue culturel que linguistique, cette région est orientée sur les voisins de la Hesse et du Westerwald.

Unterwegs im Lahntal   Along the Lahn Valley   En chemin dans la vallée de la Lahn

Herborn ist eine alte, pittoreske Fachwerkstadt an der Dill am Fuße des Westerwaldes.
Sie gehört zu den besterhaltenen mittelalterlichen Stadtanlagen Deutschlands. Der
bereits 1048 erstmals urkundlich erwähnte
Flecken wird auch als das „Nassauische
Rothenburg" bezeichnet.

Herborn, a picturesque old town with many
half-timbered buildings, is on the River Dill
at the foot of the Westerwald. It boasts one of
the best-preserved ensembles of mediaeval
buildings in Germany. The first recorded
mention of this little town, sometimes
described as "Nassau's Rothenburg," dates
back to 1048.

Herborn est une vieille ville à colombage,
d'aspect pittoresque, au pied du Westerwald.
Elle compte parmi les cités médiévales les
mieux conservées d'Allemagne. L'ancien
bourg, documenté pour la première fois en
1048, est également qualifié de «Rothenburg» de Nassau.

mit waldreichen Höhen und tief eingeschnit-
tenen Tälern abwechseln, bildet Dillenburg
das Tor zur Lahn-Dill-Region. Wie sich die
Obrigkeit im 18. Jahrhundert den Baustil von
Wohn- und Geschäftshäusern vorstellte, ist in
dem Städtchen, in dem Wilhelm von Oranien
1533 geboren wurde, gut zu erkennen. Die
Schlossruine mit den größten unterirdischen
Verteidigungsanlagen (Kasematten) des Mit-
telalters und der weithin sichtbare Wilhelms-
turm sind weitere Zeugen der wechselvollen
Geschichte der Häuser Nassau und Oranien.
In der Evangelischen Stadtkirche (1491) fin-
den sich die sterblichen Überreste der Nassau-
Dillenburger Grafen und Fürsten.
Durch eine der romantischsten Flusslandschaften Deutschlands gelangen wir über
Braunfels mit dem Schloss der Grafen von
Solms nach Weilburg. Über einer großen
Lahnschleife weist die barocke nassauische
Residenzstadt neben dem Schloss aus dem
16. Jahrhundert eine eindrucksvolle Stadtanlage auf einem schmalen Höhenrücken auf.
1847 wurde der fast kreisförmige Lahnbogen
verkürzt, indem die Stadt untertunnelt wurde.
Seither kann die Eisenerzschifffahrt den ersten unterirdischen Schifffahrtskanal Europas
passieren. In den Sommermonaten bilden der
festlich angestrahlte Renaissance-Schlosshof,

city on the Lahn, the well-kept old town with
its half-timbered houses, most of them dating
from that period, is arrayed around the former
collegiate and parish church of St Mary, the
"Wetzlar cathedral." Wetzlar's glory days came
to an abrupt end in 1806, when the Holy
Roman Empire was dissolved and the imperial
court of justice was disbanded.
Where the Westerwald meets the Rothaar
Mountains and bleak upland areas alternate
with densely forested hills and deeply carved
valleys, Dillenburg is the gateway to the Lahn-
Dill region. This little town, the birthplace in
1533 of William I of Orange, illustrates the
architectural style of residential and business
premises favoured by eighteenth-century high
society. The ruined palace with extensive
mediaeval subterranean casemates and the
Wilhelmsturm tower, visible from afar, are
further testimony to the eventful history of the
houses of Nassau and Orange. The Evangelische Stadtkirche, the protestant town
church (1491), holds the mortal remains of the
Counts and Princes of Nassau-Dillenburg.
Travelling on through some of Germany's
most romantic riverine scenery, via Braunfels

Ce que les autorités entendaient au XVIIIe siècle par style architectural en matière d'habita-
tion et de commerce est aisément reconnais-
sable dans la petit ville où naquit, en 1533,
Guillaume d'Orange. Les ruines du château
abritant les plus vastes case-mattes souter-
raines du Moyen Âge et la Wilhelmsturm bien
visible alentour, sont autant de témoins de
l'histoire pleine de vicissitudes des maisons
d'Orange-Nassau. Les reliques des comtes et
princes de Nassau-Dillenburg reposent dans
l'église protestante, la Evangelische Stadtkirche (1491).
Après avoir traversé l'un des paysages fluviaux
les plus romantiques d'Allemagne, nous par-
venons à Weilburg, en étant passé auparavant
par Braunfels couronné du château des
comtes de Solms. Surplombant la grande boucle de la Lahn, la ville et résidence baroque de
la famille de Nassau présente, en dehors du
château du XVIe siècle, un ensemble urbain
impressionnant perché sur une étroite croupe
rocheuse. C'est en 1847 que la boucle presque
circulaire de la Lahn fut raccourcie par le creu-
sement d'un tunnel sous la ville. Depuis, le
transport de minerai de fer peut s'effectuer
par le biais du premier canal souterrain de la
navigation fluviale en Europe. Pendant les
mois d'été, la cour illuminée du château
Renaissance, ainsi que le parc et l'église de ce
dernier sont le cadre festif des concerts du
château. Passé Weilburg, la vallée se fait plus

Unterwegs im Lahntal

Along the Lahn Valley

En chemin dans la vallée de la Lahn

der Schlossgarten und die Schlosskirche die festliche Kulisse für die Weilburger Schlosskonzerte. Hinter Weilburg wird das Tal enger und einsamer. An kleineren Ortschaften vorbeiführend, durchfließt die Lahn fast ausschließlich Waldgebiete. Eine eindrucksvolle Burg, höchstwahrscheinlich eine Gründung des Stauferkaisers Friedrich Barbarossa, bestimmt das Stadtbild von Runkel.
Die christliche Welt hat sich am unteren Lauf der Lahn ein mächtiges Bollwerk erbaut: Limburgs Stolz ist sein vieltürmiger Dom, der neben der Elisabethkirche in Marburg das wichtigste Bauwerk am Lahnufer ist. Der Limburger Dom steht auf einem Felsen, der schroff hinunterstürzt; seine Türme spiegeln sich unten im Fluss. Es ist faszinierend zu sehen, wie die Lahn diese Spiegelung aufnimmt, plötzlich träumerische Farben hinzufügt, um das Bild des Doms auf ihrer Oberfläche zu schmücken, und schließlich einen feierlichen Bogen um den Felsen herum macht. In Limburg-Dietkirchen kann mit der Kirche St. Lubentius die älteste Stätte des Christentums in Hessen aufgesucht werden, deren spektakuläre Lage oberhalb der Lahn auf einem Felsen ein Architektur- und Landschaftsbild von großer Wirkung bietet.

with the palace of the Counts of Solms, we reach Weilburg, the baroque seat of the Nassau rulers. Overlooking a large bend in the Lahn, in addition to a sixteenth-century palace the town boasts an impressive location on and around a narrow ridge. In 1847, the bend in the Lahn, which almost encircles the town, was shortened for shipping by tunnelling beneath the town, since when vessels carrying iron ore have been able to sail through Europe's first subterranean shipping canal. In the summer months, the festively lit courtyard of the Renaissance palace, the palace gardens and the palace church form a splendid backdrop for the Weilburg Palace Concerts. After Weilburg the river valley grows narrower and more secluded. Passing by some smaller places, the Lahn flows almost exclusively through forest. An impressive castle, most probably built originally by the Staufen emperor Frederick Barbarossa, dominates the townscape of Runkel.
Christianity erected a mighty bulwark on the lower reaches of the Lahn: Limburg's pride and joy is its many-towered cathedral, which

étroite et solitaire. Baignant de petites villes, la Lahn coule presque exclusivement à travers des régions boisées. Un château fort imposant, fondé probablement par l'empereur de la famille des Hohenstaufen, Frédéric Barberousse, donne son empreinte au visage urbain de Runkel.
Le monde chrétien s'est élevé un puissant bastion sur le cours inférieur de la Lahn: la fierté de Limburg est sa cathédrale couronnée de nombreuses tours qui, à côté de l'église Ste-Élisabeth de Marburg, est le plus important édifice en bordure de la Lahn. La cathédrale de Limburg est perchée sur un rocher tombant à pic; ses tours se reflètent en bas, dans l'eau de la rivière. Il est fascinant d'observer comment la Lahn absorbe ce reflet en y ajoutant brusquement des teintes chimériques, comme pour rehausser l'image de la cathédrale à sa surface, avant de contourner solennellement le promontoire rocheux. À Limburg-Dietkirchen l'on pourra visiter l'église St-Lubentius, la plus ancienne maison de culte de la chrétienté en Hesse, dont le site au-dessus de la Lahn, sur un rocher impressionne tant au plan de l'architecture que du paysage.
À Bad Camberg, petite ville du Taunus, la plus ancienne station thermale selon Kneipp, on pourra marcher dans l'eau froide, nager, se baigner, s'asperger, prendre des bains de boue – autrement dit se laisser choyer conformément aux principes de la cure Kneipp et

Der Luftkurort Braunfels mit dem märchenhaften Schloss der Grafen von Solms. Im Jahr 1246 als „Castellum Bruninvels" erstmals erwähnt, veränderte die einstige Schutzburg im Lauf der Zeit stetig ihr Erscheinungsbild, zuletzt beim neogotischen Umbau im 19. Jahrhundert. Die Innenräume sind als Museum gestaltet und beherbergen viele Kunstschätze.

The health resort of Braunfels with the fairytale castle of the Counts of Solms. First recorded in 1246 as the "Castellum Bruninvels," it was originally built for defensive purposes, but in the course of time repeatedly changed in appearance, most recently in the nineteenth century, when it underwent a neo-Gothic makeover. The interior is a museum holding many precious works of art.

La station climatique de Braunfels et le merveilleux château des comtes de Solms. Mentionné en 1246 pour la première fois en tant que «Castellum Bruninvels», l'ancien château fort changea en permanence de visage au fil du temps, en dernier lieu lors de son remaniement au XIXe siècle dans le goût néogothique. Les intérieurs sont aménagés en musée et abritent de nombreux trésors artistiques.

Die nassauische Residenzstadt Weilburg an der Lahn. Hoch über dem Fluss thront das Renaissanceschloss mit seinen wunderschönen Parkanlagen, das zu den besterhaltenen in Hessen gehört und fast die Hälfte der Altstadt einnimmt. Im Zusammenhang mit der Kanalisierung der Lahn ließ Herzog Adolf 1847 den Bergrücken mit einem Tunnel durchbohren. Diese heute noch in Betrieb befindliche Wasserstraße ist eine europäische Rarität.

The town of Weilburg on the Lahn was the seat of the rulers of Nassau. The Renaissance palace and its beautiful gardens tower high above the river. One of the best preserved stately homes in Hesse, it occupies almost half of the old town centre. When the Lahn was canalised in 1847, Duke Adolf had a tunnel drilled through the rocky hill. This waterway, which is still in use, is a European rarity.

La ville de résidence des princes de Nassau, Weilburg sur la Lahn. Le château Renaissance doté d'un magnifique parc, qui compte parmi les mieux préservés de Hesse et qui occupe presque la moitié de la vieille ville, trône au-dessus de la rivière. Dans le cadre de la canalisation de la Lahn, en 1847, le duc Adolf fit percer la colline pour y faire passer un tunnel. Cette voie fluviale, aujourd'hui encore en service, est une curiosité hors pair en Europe.

Auf halbem Wege zwischen Koblenz und Gießen, in dem mit Schlössern und Burgen reich gesegneten Lahntal, das hier die natürliche Grenze zwischen Taunus und Westerwald bildet, liegt auch das 1159 erstmals genannte Städtchen Runkel mit seiner wahrscheinlich auf den Stauferkaiser Friedrich Barbarossa zurückgehenden eindrucksvollen Burg. Die Lahnbrücke wurde 1448 errichtet.

The small town of Runkel, first recorded in 1159, is situated half way between Koblenz and Giessen in the Lahn Valley. The valley forms the natural border between the Taunus and the Westerwald and is blessed with a large number of palaces and castles. Runkel's impressive castle probably dates back to the Staufen emperor Frederick Barbarossa. The bridge across the Lahn was erected in 1448.

À mi-chemin entre Coblence et Gießen, dans la vallée hérissée de châteaux et de forteresses médiévales qui constitue la frontière naturelle entre le Taunus et le Westerwald, s'étend la petite ville de Runkel, déjà documentée en 1159. Son imposant château fort remonte vraisemblablement à l'empereur Frédéric Barberousse, de la dynastie des Hohenstaufen. Le pont enjambant la Lahn fut construit en 1448.

Der Limburger Dom, ein bedeutendes Beispiel spätromanischer Baukunst, liegt oberhalb der malerischen Altstadt. Durch seine beeindruckende Lage auf den Felsen oberhalb der auf 1306 datierten Lahnbrücke (nicht im Bild) ist das vieltürmige Gotteshaus weithin sichtbar.

Limburg Cathedral, an outstanding example of late Romanesque architecture, towers above the picturesque old town. Its imposing position on a rock above the 1306 bridge across the Lahn (not in the picture) makes this many-towered church visible from a distance.

La cathédrale de Limburg, important exemple de l'architecture de la fin de l'art roman, se dresse en haut de la pittoresque vieille ville. Du fait de son imposante position sur un promontoire rocheux au-dessus du pont enjambant la Lahn et datant de 1306 (non représenté sur la photo), cette maison de culte aux nombreuses tours est visible de loin.

Im Taunusstädtchen Bad Camberg, dem ältesten Kneippbad Hessens, kann man Wasser treten, baden, sich abgießen und mit Lehmpackungen behandeln lassen – hier kann nach allerneuesten medizinischen Erkenntnissen gekurt werden. Das an diesem 526 Meter hoch gelegenen Ort vorkommende „Oberselters Heilwasser" wird schon 1731 urkundlich erwähnt. Das Original-Selterswasser stammt allerdings einzig und allein aus Niederselters, im Goldenen Grund am Emsbach gelegen.

along with St Elizabeth's Church in Marburg is the most prominent work of architecture on the banks of the Lahn. Limburg Cathedral is built on a steep-sided rock, its towers reflected in the river below. It is fascinating to see how the Lahn absorbs this reflection and all at once adds dreamy colours to adorn the image of the cathedral on its surface, before finally flowing majestically around the rock. In Limburg-Dietkirchen stands the church of St Lubentius, the oldest Christian site in Hesse. Its spectacular location on a rock above the Lahn makes it a highly impressive sight, both architecturally and scenically.

The small town of Bad Camberg in the Taunus is the oldest Kneipp spa in Hesse. You can tread water, bathe, pour water over yourself and undergo mud pack treatments. This is the place to convalesce in accordance with state-of-the-art medical knowledge. The first recorded mention of Oberselters Heilwasser, sparkling mineral water from the town, which lies at an altitude of 526 metres, dates back to 1731. The original Seltzer water, however, comes solely from Niederselters in the Goldener Grund area of the Emsbach valley.

aux plus récentes connaissances en médecine. L'eau minérale «Oberselters Heilwasser», issue d'une source de cette localité, située à 526 mètres de hauteur a été documentée dès 1731. L'eau de Seltz originale vient toutefois uniquement de Niederselters, du «Goldener Grund» en bordure de l'Emsbach.

Der kleine Friedberger Stadtteil Ockstadt ist von Obstwiesen umsäumt. Er ist das Kirschendorf der Wetterau, das sich im Frühling in leuchtend weißem Blütenkleid präsentiert. Da die Bauernhöfe des Dorfes sehr klein waren, mussten die Landwirte bis zu zwei Ernten auf ihren Äckern anstreben, um zu überleben. Das funktionierte mit hochstämmigen Kirschbäumen, unter denen Getreide angebaut wurde.

Ockstadt, a small district of Friedberg, is surrounded by orchards. It is the cherry village of the Wetterau region and arrayed in spring in brilliant white blossom. Since the village farms were very small, farmers had to try to harvest two crops from their fields in order to survive. This they did by planting tall cherry trees and growing grain beneath them.

Ockstadt, petit quartier de Friedberg, est entouré de vergers. C'est le «village des cerises» de la Wetterau qui, au printemps, se pare d'une robe d'un blanc éclatant. Les fermes du village étant autrefois très petites, les agriculteurs devaient essayer de faire deux récoltes dans l'année pour pouvoir survivre. Cela fut possible grâce à des cerisiers au tronc élevé, sous lesquels on pouvait cultiver des céréales.

Zwischen Taunus und Vogelsberg liegt, wie eine flache Mulde, die Wetterau. Vom Johannisberg bei Bad Nauheim oder von der Burgruine Münzenberg gleitet der weite Blick über die fruchtbare, fast waldlose Landschaft. Burg Münzenberg, das „Wetterauer Tintenfass", gilt neben der Wartburg als einer der bedeutendsten Wehrbauten aus dem Mittelalter. Ihr Erbauer, Kuno von Hagen-Arnsburg, der sich später von Münzenberg nannte, zählte zu den einflussreichsten Gefolgsleuten der Staufen. Im Kern der Burganlage finden sich hervorragende Werke romanischer Profanarchitektur mit Steinmetzarbeiten aus Sandstein und Mauerwerk aus Säulenbasalt. Zu den schönsten Ruinen Deutschlands zählt das Kloster Arnsburg in der Nähe von Lich mit seiner für Zisterzienserklöster typischen Lage in der Einsamkeit des Waldes, der Qualität seiner Architektur und den bewachsenen Mauerresten.
Als die Mitglieder des europäischen Adels, unter ihnen die österreichische Kaiserin Elisabeth, das russische Zarenpaar und die deutsche Kaiserin Auguste Viktoria, die Heilkraft der Thermalsole-Quellen suchten, machte sich das Staatsbad Bad Nauheim Ende des 19. Jahrhunderts rasch in aller Welt einen Namen. Zu jener Zeit nahm auch das Bauwerk Gestalt an, das der Badestadt ein

The Wetterau lies like a shallow depression between the Taunus and the Vogelsberg. From the Johannisberg hill near Bad Nauheim or the ruined castle of Münzenberg one has a panoramic view of a fertile, almost treeless landscape. Münzenberg, the "Wetterau inkwell," is considered, along with the Wartburg, to be one of the most important defensive buildings built in the Middle Ages. It was built by Kuno von Hagen-Arnsburg, who later called himself von Münzenberg and was one of the Staufen emperors' most influential followers. At the heart of the castle complex are some outstanding examples of Romanesque secular architecture, including sandstone stonemasonry and pillar-basalt walls. Its secluded forest location, typical of a Cistercian monastery, the quality of its architecture, and the overgrown remains of its walls make Arnsburg Monastery near Lich one of the most beautiful ruins in Germany.
When members of the European nobility, among them Empress Elizabeth of Austria, the Tsar and Tsarina of Russia and Empress Auguste Viktoria of Germany, sought the healing power of thermal salt springs, the state spa Bad Nauheim soon made a name for itself

La Wetterau (Vettaravie) s'étend tel un vallon plat entre Taunus et Vogelsberg. Du Johannisberg, près de Bad Nauheim, ou du haut des ruines du château fort de Münzenberg, le regard plonge sur les étendues de cette région fertile, presque dépourvue de forêts. Le château fort de Münzenberg, le «Wetterauer Tintenfass» (L'encrier de la Vettaravie), passe, à côté de la Wartburg, pour être l'un des plus importants ouvrages de défense du Moyen Âge. Son bâtisseur, Kuno von Hagen-Arnsburg, qui se nomma plus tard von Münzenberg, comptait parmi les membres les plus influents de l'entourage des Hohenstaufen. Au cœur de cet ensemble fortifié on trouvera de splendides réalisations en architecture profane de style roman avec des chefs-d'œuvre en pierre de taille gréseuse ainsi que des ouvrages de maçonnerie en orgues basaltiques. Les ruines du monastère d'Arnsburg, dans les environs de Lich, se dressent dans la solitude de la forêt, ainsi qu'il en est le cas de nombreuses abbayes cisterciennes. La qualité de leur architecture et les vestiges de murs recouverts de verdure, les rangent parmi les plus belles d'Allemagne.
À l'issue du XIXe siècle, lorsque des membres de la noblesse européenne, dont l'impératrice autrichienne Élisabeth, le tsar et la tsarine de Russie ainsi que l'impératrice allemande Auguste Viktoria découvrirent les vertus curatives des sources thermales, la ville d'eaux de

überaus prägnantes Erscheinungsbild gegeben hat: der im Jugendstil errichtete Sprudelhof mit seinen sechs Badehäusern. In die Wälder des Taunus übergehend, sorgen Spaziergänge durch den Kurpark, der großzügig im englischen Stil vom Gartenarchitekten Heinrich Siesmayer mit alten Baumbeständen, Skulpturen, Teichen und Wasserspielen angelegt wurde, für Erholung und Entspannung. Im stilvollen Ambiente und der friedvollen, harmonischen Atmosphäre des Hotels Grunewald weilte Elvis Presley einige Monate während seiner Militärzeit in Deutschland.

Vermutlich im Auftrag Barbarossas zwischen 1171 und 1180 gegründet, entwickelte sich die Reichsburg Friedberg, eine „Stadt in der Stadt", zum Mittelpunkt der Reichsritterschaft. Ihr Wahrzeichen, der machtvolle Adolfsturm, symbolisierte ihre kraftvolle Entwicklung und Behauptung; denn er war aus dem Lösegeld errichtet, das der in einer Fehde mit den Friedberger Burgmannen 1347 unterlegene Graf Adolf I. von Nassau hatte bezahlen müssen. Eines der wenigen nicht zerstörten Beispiele jüdischen Erbes in Hessen ist die Mikwe, ein für rituelle Waschungen 1260 gebautes Bad. Da in jedem Fall lebendiges, also fließendes Wasser hierzu genutzt

all over the world. That was in the late nineteenth century, at a time when a building was taking shape that was to give the spa town an extremely distinctive appearance – the Art Nouveau-style Sprudelhof with its six bath houses. Walks through the spa park and into the Taunus woods cater for rest and relaxation. The garden architect Heinrich Siesmayer landscaped the park in grand English style with mature trees, sculptures, lakes and fountains. Elvis Presley spent several months in the stylish ambience and peaceful, harmonious atmosphere of the Hotel Grunewald during his military service in Germany. Probably founded by order of Frederick Barbarossa between 1171 and 1180, the imperial castle of Friedberg, a "town within a town," became the centre of the imperial knights. Its emblem, the mighty Adolfsturm tower, symbolised its powerful development and assertiveness, having been built with the ransom money paid by Count Adolf I of Nassau after his defeat in a feud with the nobles of Friedberg in 1347. One of the few examples of Jewish heritage in Hesse that was not

Bad Nauheim ne tarda pas à se faire un nom à travers le monde entier. À cette époque, l'ouvrage qui devait conférer à la station thermale son aspect si distinctif commençait tout juste à prendre forme: le Sprudelhof, centre thermal composé de six maisons de bain blanches de style Art Nouveau. Menant aux forêts du Taunus, des sentiers de promenade sillonnent le parc aménagé à l'anglaise par l'architecte paysagiste Heinrich Siesmayer. Planté de vieux arbres et agrémenté de sculptures, de petits plans d'eau et de jeux aquatiques, il se prête au repos et à la détente. L'hôtel Grunewald, avec ses élégants intérieurs, son atmosphère harmonieuse et sereine, accueillit pendant quelques mois Elvis Presley lorsqu'il effectua son service militaire en Allemagne.

Probablement fondée à la demande de Frédéric Barberousse entre 1171 et 1180, la Reichsburg Friedberg, une «ville dans la ville», devint le centre de la noblesse immédiate dont l'imposant emblème, la Adolfsturm, symbolise la dynamique évolution et l'assurance. Elle fut en effet érigée à partir de la rançon que le comte Adolf Ier de Nassau avait dû verser aux «Burgmannen» (qui vivaient dans l'enceinte du «Burg», du château) après avoir dû s'avouer vaincu, en 1347, à l'issue d'un démêlé qui l'opposait à ces derniers. L'un des rares exemples de l'héritage juif à avoir été préservé de la destruction est le mikvé, bain consacré aux ablutions rituelles, dont la construction

Weit über die hessischen Landesgrenzen hinaus ist Bad Nauheim bekannt. Seit 1823 wurde die Sole als Heilquelle vermarktet, um 1900 hatte Bad Nauheim als Kurort Weltrang. Im Bild der zwischen 1905 und 1912 errichtete Sprudelhof mit seinen Jugendstil-Badehäusern.

Bad Nauheim is known far beyond the borders of Hesse. It began marketing its brine as a curative in 1823, and by 1900 was a world-ranking spa. This picture shows the Sprudelhof, built between 1905 and 1912, and its Art Nouveau bathhouses.

Bad Nauheim est connu bien au-delà des frontières du land de Hesse. Depuis 1823, les eaux salées étaient commercialisées en raison de leurs vertus curatives. Station thermale, Bad Nauheim jouissait, vers 1900 d'une renommée mondiale. Sur la photo: le «Sprudelhof», érigé entre 1905 et 1912, avec ses maisons de bains de style Art Nouveau.

Die Friedberger Reichsburg, auf einem Basaltfelsen gelegen, ist mit 39 000 Quadratmetern Grundfläche die größte Anlage dieser Art in Deutschland. Sie wurde vermutlich im Auftrag Kaiser Barbarossas zwischen 1171 und 1180 von Kuno von Münzenberg gegründet. Ihr Adolfsturm ist das Wahrzeichen der inmitten der Wetterau gelegenen Stadt. Heute befinden sich verschiedene Institutionen innerhalb der Befestigungsanlagen.

The imperial castle of Friedberg stands on a basalt cliff. Covering an area of 39,000 square metres, it is the largest complex of its kind in Germany. It was founded by Kuno von Münzenberg between 1171 and 1180, probably by order of Emperor Frederick Barbarossa. Its Adolfsturm tower is the emblem of the town, which is in the heart of the Wetterau region. Various institutions are now housed inside the fortifications.

La Reichsburg Friedberg, perchée sur un rocher basaltique est, avec ses 39 000 mètres carrés de superficie, la plus vaste construction de ce genre en Allemagne. Elle fut probablement fondée à la demande de l'empereur Barberousse entre 1171 et 1180 par Kuno von Münzenberg. La «Adolfsturm» est l'emblème de cette ville située au beau milieu de la Wetterau. Aujourd'hui, elle abrite différents organismes à l'intérieur de ses fortifications.

werden musste, wurde hier ein quadratischer, 25 Meter tiefer und fünf Meter breiter Schacht ausgemauert, um an das Grundwasser zu gelangen. Lediglich eine achteckige Öffnung sorgte für die spärliche Beleuchtung mit Tageslicht.

Mit einem von Kelten im Heidetränktal in der Nähe von Oberursel errichteten „Oppidum" kann die Region eine sehr alte Siedlungsgeschichte vorweisen. Während zweier Jahrhunderte beherrschten die Römer den Hochtaunus, auf dessen ost-westlicher Kammlinie ihr Verteidigungswall, der „Limes", verlief. Seine Spuren sind noch heute über längere Strecken deutlich zu erkennen. Weithin bekannt für erfolgreiche Ausgrabungen und Rekonstruktion wurde das Römerkastell Saalburg bei Bad Homburg vor der Höhe. Homburg selbst, die über 1200 Jahre alte Residenzstadt der Landgrafen von Hessen-Homburg, gilt als einer der vornehmsten deutschen Kurorte. Das von Louis Jacobi 1887–1890 erbaute Kaiser-Wilhelm-Bad und der von Peter Joseph Lenné angelegte Kurpark verbürgen sich mit bekannten Namen dafür, dass hier auch königliche Hoheiten baden konnten. Markant überragt der „Weiße Turm" des Landgrafenschlosses

destroyed is the mikveh, a bath built in 1260 for ritual washing. Since it was essential that living, that is running, water be used for this purpose, a 25-metre-deep, 5-metre-square shaft was dug to reach the ground water. It was dimly lit in daylight via a single octagonal opening.

An *oppidum* built by Celts in the Heidetränk Valley near Oberursel points to a very long history of settlement in the region. The Romans ruled the High Taunus for two hundred years and their line of defensive ramparts, the *limes*, ran along its ridge from east to west. Traces are still clearly visible for considerable distances. The Roman fort of Saalburg near Bad Homburg vor der Höhe became known far and wide as an example of successful excavation and reconstruction. Homburg itself is more than 1,200 years old and was the old capital of the Landgraves of Hesse-Homburg. It is regarded as one of the most elegant German spa towns. The Kaiser Wilhelm Baths, built by Louis Jacobi between 1887 and 1890, and the spa park designed by Peter Joseph Lenné can point to famous names to show

remonte à 1260. L'eau devant être impérativement pure, donc «vive», une cavité carrée de 25 mètres de profondeur et de cinq mètres de largeur fut maçonnée pour arriver jusqu'à la nappe phréatique. Seule une ouverture octogonale permet à la lumière du jour de pénétrer et d'éclairer faiblement le puits.

L'«Oppidum», bâti par des tribus celtes dans la vallée Heidetränktal des environs de Oberursel, témoigne de ce que cette région fut colonisée en des temps très reculés. Pendant des siècles, les Romains régnèrent sur le Haut-Taunus dont la ligne de crête est-ouest était parcourue d'un ouvrage défensif, le «Limes». Ses vestiges sont aujourd'hui encore aisément identifiables sur des distances relativement longues. Le castrum romain Saalburg, près de Bad Homburg vor der Höhe, est largement connu pour les fouilles abondantes et les reconstructions qui y ont été effectuées. La ville même de Homburg, résidence des landgraves de Hesse pendant plus de 1200 ans, passe pour être la plus élégante des stations thermales d'Allemagne. La maison de cure Kaiser-Wilhelm-Bad conçue par Louis Jacobi de 1887 à 1890 et le parc aménagé par Peter Joseph Lenné étaient autant de garants pour les têtes couronnées de venir y prendre les eaux. La «Tour blanche» (Weißer Turm) du château des landgraves domine la vieille ville romantique et ses merveilleuses maisons à colombage des XVIIe et XVIIIe siècles.

Oberursel liegt reizvoll am Südhang des Taunus, nur wenige Kilometer von der Metropole Frankfurt am Main entfernt. Im Mittelalter führten Weber, Tuchmacher und Tuchhändler die Stadt zu einer kulturellen und wirtschaftlichen Blüte. In der Bildmitte das historische Rathaus (mit Tordurchgang), dahinter die römisch-katholische Kirche St. Ursula.

Oberursel is located in a delightful position on the southern slopes of the Taunus, just a few miles from the metropolis of Frankfurt am Main. In the Middle Ages, weavers, cloth-makers and drapers led the town to cultural and economic prosperity. In the middle of the picture is the historic Town Hall (with gateway), and behind it St Ursula's Roman Catholic Church.

Dans un cadre plein de charme, Oberursel s'étale sur le versant sud du Taunus, à quelques kilomètres seulement de la métropole Francfort-sur-le-Main. Tisserands, drapiers et commerçants en cette matière contribuèrent essentiellement à l'essor culturel et économique de la ville. Au centre de l'image, l'hôtel de ville historique (avec porche); à l'arrière, l'église catholique romaine de Ste Ursule.

Das rekonstruierte Römerkastell Saalburg am Obergermanisch-Raetischen Limes lässt die Antike wieder lebendig werden. Der Limes trennte das Römische Weltreich von den Gebieten des „freien Germaniens". Er war aus der Sicht Roms die Grenze zwischen Barbarei und Zivilisation. Die Reste des Schutzwalls sind heute Weltkulturerbe der UNESCO.

The reconstructed Roman fort of Saalburg on the Upper Germanic and Rhaetian *limes* brings antiquity to life. The *limes* separated the Roman world from the territories of "free Germania." The Romans regarded it as the frontier between barbary and civilisation. The remnants of this defensive wall are now a UNESCO World Heritage site.

Saalburg, castrum romain reconstitué sur le «Limes» de Germanie et de Rhétie fait revivre l'Antiquité. Le Limes séparait l'empire romain des régions de la «Germanie libre». Pour Rome, il représentait la limite entre barbarie et civilisation. Les vestiges de cet ouvrage défensif sont aujourd'hui inscrits sur la liste des sites du patrimoine mondial de l'UNESCO.

Der Luftkurort Kronberg im Taunus hat sich über die Jahrhunderte hinweg seinen historisch gewachsenen Charakter mit Burg, malerischen Altstadtgassen, mittelalterlich anmutenden Fachwerkhäusern und herrschaftlichen Villen bewahrt.

The character of the health resort of Kronberg in the Taunus has evolved over centuries. It boasts a castle, picturesque narrow streets in the old town, mediaeval-looking half-timbered buildings, and stately villas.

La station climatique de Kronberg dans le Taunus a sauvegardé au fil des siècles son caractère hérité du passé avec son château fort, les ruelles pittoresques de la vieille ville, les maisons à colombages au charme moyenâgeux et ses villas cossues.

Folgende Doppelseite: Die Wanderwege durch die Wälder um den 881,5 Meter hohen Großen Feldberg (mit den Sendeanlagen auf dem Gipfel), die Aussicht von Türmen wie auf dem Herzberg und sportliche Herausforderungen wie die Eschbacher Klippen zeichnen den Naturpark Hochtaunus aus.

Next double page: Characteristic features of the High Taunus Nature Park are hiking paths through tranquil forests around the 881.5-metre-high Grosser Feldberg (with the transmitters on the summit), views from towers like that on the Herzberg, and sporting challenges such as the Eschbach Cliffs.

Page double suivante: Les sentiers de randonnée à travers les forêts silencieuses autour du Großer Feldberg haut de 881,5 mètres (avec des émetteurs au sommet), les points de vue aménagés sur les tours comme sur le Herzberg et les défis sportifs tels que les falaises de Eschbach sont autant d'attraits du Parc naturel du Haut-Taunus.

die romantische Altstadt mit ihren bezaubernden Fachwerkbauten aus dem 17. und 18. Jahrhundert. Als „ein fein wohlerbaut Stättlein, in einer schönen und fruchtbaren Gegend gelegen", beschreibt die 1655 bei Matthäus Merian erschienene, wundervoll ausgestaltete Chronik hessischer Dörfer und Städte das burggeschmückte Kronberg. Auch die Mitglieder der Kronberger Malerkolonie, allesamt Künstler der Frankfurter Schule, nutzten den malerischen Ort als Anregung und Motiv. Die mineralhaltigen Quellen von Bad Soden lockten im 19. Jahrhundert russische Adlige und Schriftsteller auf ihren traditionellen Westeuropareisen in den Taunus, so auch Leo Tolstoi, der die vielfältigen Eindrücke des mondänen Kurbetriebes in seinem Roman „Anna Karenina" verarbeitete. Ein beliebter Ferienort und Ausgangspunkt für eine Besteigung des Großen Feldbergs ist der heilklimatische Kurort Königstein. In der Altstadt lassen sich viele malerische Winkel aufspüren und prachtvolle Villen entdecken, die sich die reichen Frankfurter Bürger an den Taunushängen errichteten.
Durch die großen Handelsmessen, die alljährlich im Herbst stattfanden, wurde Frankfurt am Main zu einer wichtigen Handelsstadt. Die „Goldene Bulle" Karls IV. bestimmte die Stadt als Wahlort der römisch-deutschen Kaiser und machte sie damit zu einem politischen

that even royalty could bathe here. The distinctive "white tower" of the landgravial palace towers above the romantic, historic town centre with its enchanting seventeenth- and eighteenth-century half-timbered buildings. A wonderfully produced chronicle of Hessian villages and towns published by Matthäus Merian in 1655 describes castle-adorned Kronberg as "a fine well-built little place situated in a beautiful and fertile area." Members of the Kronberg painters' colony, all artists of the Frankfurt School, also used the picturesque town for inspiration and as a motif. In the nineteenth century, the mineral springs at Bad Soden lured Russian aristocrats and writers on their traditional tours of Western Europe to the Taunus. One such was Leo Tolstoy, who processed his diverse impressions of sophisticated spa society in his novel "Anna Karenina." Königstein, designated a spa on account of its healthy climate, is a popular holiday resort and the starting point for climbing the Grosser Feldberg. The old town has many picturesque corners to discover, along with grand villas built by rich citizens of Frankfurt on the slopes of the Taunus.

«Ravissante petite ville agréablement bâtie dans une belle et fertile contrée», ainsi Kronberg, couronnée de châteaux forts est-elle dépeinte dans la Chronique des Villages et Villes hessois parue, en 1655 chez Matthäus Merian et si magnifiquement décorée. Les membres de la colonie de peintres de Kronberg, issus de l'École de Francfort, firent de ce pittoresque village leur lieu de prédilection, y trouvant motifs et inspiration. Les sources riches en minéraux de Bad Soden attirèrent au XIXe siècle nombre de membres de la noblesse russe ainsi que des écrivains venus dans le Taunus au cours de leurs voyages traditionnels à travers l'Europe de l'Ouest, tel que Léon Tolstoï. Il assimila, dans son roman «Anna Karénine», les multiples impressions recueillies au cours de son séjour dans ce lieu de cure mondain. La station climatique de Königstein est une destination de vacances très prisée et se prête comme point de départ à une ascension du Großer Feldberg. Dans la vieille ville on découvrira de nombreux coins pittoresques et de magnifiques villas que les riches bourgeois de Francfort se firent construire sur les versants du Taunus.
Grâce aux grandes foires commerciales qui avaient lieu chaque année, à l'automne, Francfort-sur-le-Main devint une importante ville marchande. La «Bulle d'Or» promulguée par Charles IV fit de la ville le lieu de l'élection des empereurs du Saint Empire romain-germanique qui devint ainsi un centre politique de

Frankfurt am Main – dynamische, internationale Finanz- und Messestadt mit der imposantesten Skyline Deutschlands. Im Vordergrund der Hauptbahnhof mit dem von Murphy/Jahn 1991 errichteten 257 Meter hohen Messeturm. Rechts daneben die Hochhaussilhouette mit den die Altstadt überragenden Zentralen der Finanzwelt.

Frankfurt am Main – the dynamic international finance and trade fair centre with the most impressive skyline in Germany. In the foreground is the main railway station and the 257-metre trade fair tower, built by architects Murphy/Jahn in 1991. To the right are the silhouettes of high-rise financial headquarters towering above the old town.

Francfort-sur-le-Main – ville dynamique et internationale en matière de finance et de foires-expositions dont le profil est le plus imposant d'Allemagne. Au premier plan, la gare centrale avec la Messeturm (Tour des Foires) de 257 mètres de haut, conçue en 1991 par les architectes Murphy/Jahn. À côté, sur la droite, la silhouette de gratte-ciel avec les centrales du monde de la finance dominant la vieille ville.

Zentrum Deutschlands. Seit im Jahr 1562 Maximilian II. in Frankfurt gekrönt worden war, wurde die Mainstadt auch die bevorzugte Krönungsstätte der römisch-deutschen Kaiser. 1749 wurde im Großen Hirschgraben 23 Frankfurts großer Sohn, Johann Wolfgang Goethe, geboren. Als Knabe erlebte er die Besetzung seiner Vaterstadt durch die Franzosen im Siebenjährigen Krieg. Unter dem Geläut der Glocken und dem Donner der Geschütze zogen am 18. Mai 1848 die Abgeordneten der ersten Deutschen Nationalversammlung vom Kaisersaal des Frankfurter Römers durch das Spalier der Frankfurter Stadtwehr zur Paulskirche. Nach dem Zweiten Weltkrieg entwickelte sich die Mainmetropole zu einem kulturellen und wirtschaftlichen Zentrum des neuen Deutschlands und der europäischen Gemeinschaft. Nicht nur wegen seiner zahlreichen, weit in den Himmel ragenden Stahlbetonriesen wird „Mainhattan" mittlerweile gern mit dem geschäftigen New York verglichen.
In Hanau, der Geburtsstadt der Brüder Grimm, präsentieren sich Kunst und Kultur auf ganz verschiedene Weise. Das im ehemaligen Rathaus beheimatete Deutsche Goldschmiedehaus am Altstädter Markt zeigt

Major fairs held every year in autumn made Frankfurt an important trading centre. Charles IV's "Golden Bull" designated the town as the place where Holy Roman Emperors were elected, thereby making it a political centre in Germany. After Maximilian II was crowned in Frankfurt in 1562, the town on the Main also became the preferred venue for Holy Roman Emperors' coronations. Frankfurt's great scion, Johann Wolfgang Goethe, was born in 1749 in a house at number 23 Großer Hirschgraben. As a boy, he lived through the French occupation of his home town during the Seven Years' War. To the ringing of bells and thunder of guns, on 18 May 1848 deputies of the first German National Assembly marched from the Kaisersaal of the Frankfurt Römer to St Paul's Church past a guard of honour of the Frankfurt municipal guard. After World War II the city on the Main developed into one of the cultural and economic centres of the new Germany and the European Community. Nowadays, people like to compare "Mainhattan" with bustling New York, and not only on account of its numerous giant, reinforced concrete skyscrapers.

l'Allemagne. Après que Maximilien II eut été fait empereur à Francfort en 1562, cette ville devint le site privilégié pour le couronnement des empereurs. C'est en 1749 qu'au 23 de la rue Großer Hirschgraben naquit l'enfant le plus éminent de Francfort, Johann Wolfgang Goethe. Petit garçon, il connut l'occupation de sa ville natale par les Français au cours de la guerre de Sept Ans. Le 18 mai 1848, sous une volée de cloches et le tonnerre des canons, les députés de la première Assemblée nationale allemande, partis de la Salle des Empereurs du Römer, défilèrent à travers la haie que leur faisait la Stadtwehr de Francfort pour se rendre à la Paulskirche. À l'issue de la Seconde Guerre mondiale, la métropole des bords du Main devint un important pôle d'activité culturelle et économique de la nouvelle Allemagne et de la Communauté européenne. Le «Mainhattan» allemand est souvent comparé entretemps à l'effervescente New York, ceci non seulement en raison de ses nombreux géants en béton armé partant à l'assaut du ciel.
À Hanau, ville natale des frères Grimm, l'art et la culture se présentent sous un jour tout différent. La Deutsches Goldschmiedehaus, Maison allemande de l'Orfèvrerie, domiciliée dans l'ancien hôtel de ville, en bordure du Altstädter Markt présente en alternance des expositions touchant la fabrication des bijoux. Dans le quartier de Kesselstadt se situe le château de Philippsruhe, érigé selon le modèle

Der Flughafen Frankfurt am Main ist eines der wichtigsten Drehkreuze des internationalen Luftverkehrs. Er wurde am 8. Mai 1936 offiziell eröffnet, war ab 26. Juni 1948, neben Hannover und Hamburg, während der Berliner Luftbrücke Hauptbasis der alliierten Flugzeuge und gehört mit jährlich mehr als 50 Millionen Passagieren zu den größten Flughäfen der Welt.

Frankfurt am Main airport is one of the most important international air traffic hubs. It was officially opened on 8 May 1936. From 26 June 1948, along with Hannover and Hamburg, it was the main base for Allied aircraft during the Berlin airlift. More than 50 million passengers pass through it each year, making it one of the world's busiest airports.

L'aéroport de Francfort-sur-le-Main est l'une des plus importantes plaques tournantes du trafic aérien international. Inauguré le 8 mai 1936, il fut à partir du 26 juin 1948, à côté de Hanovre et Hambourg, la base principale de l'aviation alliée pendant le Blocus de Berlin. Avec plus de 50 millions de passagers par an, il fait partie des plus grands aéroports au monde.

Abriss oder Wiederaufbau: Jahrelang stand das Schicksal von „Deutschlands schönster Ruine" zur Debatte. Dann war es endlich so weit: Der 1944 bis auf die Grundmauern zerbombte Bau aus der Gründerzeit wurde originalgetreu wiedererrichtet. Am 28. August 1981 konnte die Alte Oper in Frankfurt feierlich eingeweiht werden.

To demolish or rebuild: the fate of "Germany's most beautiful ruin" was a subject of debate for many years. Finally, a decision was taken and Frankfurt's Old Opera, which had been built in the Wilhelminian era and was razed to the ground during a 1944 air raid, was rebuilt in the original style. The new building was formally inaugurated on 28 August 1981.

Démolition ou reconstruction: pendant des années, le sort de la «plus belle ruine d'Allemagne» a fait l'objet d'âpres débats. Puis la décision fut enfin prise: l'édifice datant de l'époque wilhelmienne, anéanti par les bombardements en 1944, fut reconstruit à l'identique. Le 28 août 1981, la «Alte Oper», l'ancien Opéra, a pu être solennellement inauguré à Francfort.

Die prächtige Marienkirche (rechts im Bild) beherrscht das mittelalterliche Stadtbild der im Kinzigtal gelegenen Barbarossastadt Gelnhausen. Rechts unterhalb der Kirche das im 12. Jahrhundert gebaute Romanische Haus. Die von imposanten Befestigungsanlagen umgebene Stadt an der Via Regia, der Reichsstraße von Frankfurt nach Leipzig, war einst eine der wohlhabendsten im Land.

Magnificent St Mary's Church (on the right of the picture) dominates the mediaeval townscape of Gelnhausen in the Kinzig Valley, which was founded by Emperor Frederick Barbarossa. On the right, below the church is the twelfth-century Romanisches Haus. The town, which is surrounded by imposing fortifications, is situated on the Via Regia, the imperial route from Frankfurt to Leipzig, and was once the most prosperous in the region.

La magnifique Marienkirche (côté droite de la photo) domine la physionomie urbaine médiévale de la ville de Frédéric Barberousse, Gelnhausen, située dans la vallée de la Kinzig. À droite, en bas de l'église, la Romanisches Haus, Maison romane, bâtie au XIIe siècle. Située en bordure de la Via Regia, la voie impériale de Francfort à Leipzig, cette ville entourée d'imposantes fortifications était autrefois l'une des plus riches du pays.

wechselnde Ausstellungen zur Schmuckverarbeitung. Im Stadtteil Kesselstadt liegt das 1701 bis 1712 nach französischem Vorbild als Sommerresidenz des Grafen Philipp Reinhard von Hanau errichtete Schloss Philippsruhe, das Ende des 19. Jahrhunderts im neobarocken Stil umgebaut wurde. Eine der vom Schloss ausgehenden Alleen führt zur Kurbadanlage Wilhelmsbad.

Zwischen Spessart und Vogelsberg führt das Tal der Kinzig aufwärts nach Gelnhausen. Im hessischen Kinzigtal verlief einst die wichtige Handelsstraße von Leipzig nach Frankfurt, von der nicht zuletzt auch die berüchtigten Spessarträuber profitierten. Heute treffen hier die „Deutsche Märchenstraße" und die „Deutsche Ferienroute Alpen-Ostsee" zusammen. In der von Kaiser Friedrich Barbarossa 1170 gegründeten Reichsstadt Gelnhausen thront die auf einer Insel der Kinzig erbaute Kaiserpfalz. Die Barbarossaburg gilt als das am besten erhaltene staufische Palastgebäude Deutschlands. Ab 1170 entstand das Wahrzeichen der Stadt, die Marienkirche. Im „Kronjuwel Gottes" zählt insbesondere der Lettner mit seiner Darstellung des „Jüngsten Gerichts" international als wertvolle künstlerische Einzigartigkeit. Auch der um 1500 entstandene

In Hanau, birthplace of the Brothers Grimm, art and culture are presented in a very different light. The German Goldsmiths' House in the former town hall on Altstädter Markt shows changing exhibitions on jewellery making. In the district of Kesselstadt is Philippsruhe Palace, built between 1701 and 1712 in the French style as a summer residence for Count Philipp Reinhard von Hanau. The palace underwent alteration in the neobaroque style in the late nineteenth century. One of the avenues leading from the palace takes you to the Wilhelmsbad spa bath complex.

Between the Spessart and the Vogelsberg, the Kinzig Valley leads up to Gelnhausen. The important trade route from Leipzig to Frankfurt, from which, last but not least, notorious Spessart robbers also profited, once ran along the Kinzig river valley in Hesse. The "German Fairy Tale Route" and the "German Holiday Route from the Alps to the Baltic" meet here. In the town of Gelnhausen, founded in 1170 by Emperor Frederick I Barbarossa, the imperial palace sits in splendour on an island in

français entre 1701 et 1712 et résidence d'été du comte Philipp Reinhard von Hanau; il fut remanié à la fin du XIXe siècle dans le goût néo-baroque. L'une des allées partant du château conduit au centre de cure Wilhelmsbad.

Entre Spessart et Vogelsberg, la vallée de la Kinzig mène en amont vers Gelnhausen. C'est à travers cette vallée hessoise de la rivière que passait jadis la plus importante voie commerciale entre Leipzig et Francfort. Ce dont profitaient également les bandits de grand chemin du Spessart, tant redoutés. Aujourd'hui la «Route allemande des Contes de Fées» rejoint ici la «Route allemande des Vacances Alpes-Mer baltique». À Gelnhausen, ville d'empire fondée en 1170 par Frédéric Barberousse, trône le palais impérial bâti sur une île de la Kinzig. La forteresse de Barberousse passe pour être le château des Hohenstaufen le mieux préservé d'Allemagne. À partir de 1170, la cité vit naître ce qui allait devenir son emblème: la Marienkirche. À l'intérieur de ce «joyau de la Couronne de Dieu», le jubé et sa représentation du «Jugement dernier» est considéré à travers le monde comme une précieuse œuvre d'art unique en son genre. Le maître-autel réalisé aux environs de 1500 compte également parmi les trésors artistiques les plus importants de la Marienkirche.

Hochaltar gehört zu den bedeutenden Kunstschätzen der Marienkirche. Auf dem Spaziergang durch die Altstadt trifft man auf die Geburtshäuser zweier berühmter Söhne der Stadt: Hans Jakob Christoffel von Grimmelshausen (1622–1676) gilt als größter deutscher Erzähler des 17. Jahrhunderts, der vor allem mit seinem Werk „Der abenteuerliche Simplicissimus" bekannt wurde. Johann Philipp Reis (1834–1874) revolutionierte die Welt mit der Erfindung des Telefons.

the Kinzig. Barbarossa's palace is considered to be the best-preserved Staufen palace in Germany. The town's emblem, St Mary's Church, was begun in 1170. Inside "God's crown jewel," a rood screen portraying the Last Judgement is regarded internationally as a valuable, unique artistic accomplishment. The high altar, which dates from around 1500, is another of the church's important treasures. On a walk through the historic town centre, one comes across the houses where two famous sons of the town were born. Hans Jakob Christoffel von Grimmelshausen, 1622–76, is regarded as the greatest seventeenth-century German storyteller. He was known mainly for his work "Der abenteuerliche Simplicissimus." Johann Philipp Reis, 1834–74, revolutionised the world by inventing the telephone.

Une promenade dans les rues de la vieille ville fera découvrir les maisons natales de deux célèbres fils de la ville: Hans Jakob Christoffel von Grimmelshausen (1622–1676), généralement considéré comme le plus grand écrivain allemand du XVIIe siècle qui acquit avant tout la célébrité par son ouvrage «Der abenteuerliche Simplicissimus» (les Aventures de Simplicius Simplicissimus). Johann Philipp Reis (1834–1874) révolutionna le monde par l'invention du téléphone.

Das Büdinger Schloss, am Fuße des Vogelsberges am Rande der malerischen Altstadt gelegen, wurde zur Zeit des staufischen Kaisers Friedrich Barbarossa als Wasserburg erbaut. Es wird seit 1258 von der Familie der Fürsten zu Ysenburg und Büdingen bewohnt.

The palace of Büdingen stands at the foot of the Vogelsberg on the outskirts of the picturesque old town. Originally a moated castle, it was built during the rule of the Staufen emperor Frederick Barbarossa. The Princes of Ysenburg and Büdingen have resided here since 1258.

Au pied du Vogelsberg, le château à douves de Büdingen à la lisière de la pittoresque vieille ville fut érigé au temps de l'empereur Frédéric Barberousse, un Hohenstaufen. Depuis 1258, il est habité par la famille des princes d'Ysenburg et Büdingen.

Auf der Sonnenseite des Rheins, umgeben von besten Lagen feinster Rheingau-Rieslingweine, liegt Rüdesheim am romantischen Flusslauf. Seit 2002 gehört das Obere Mittelrheintal zwischen Rüdesheim und Koblenz offiziell zum UNESCO-Welterbe.

Rüdesheim is situated on a romantic stretch of river on the sunny side of the Rhine, and surrounded by the best vineyards for finest Rheingau Riesling wines. In 2002, the Upper Middle Rhine Valley between Rüdesheim and Koblenz was declared a UNESCO World Heritage site.

Du côté du Rhin privilégié par le soleil, entouré des meilleurs terroirs où poussent les fins cépages du Riesling du Rheingau, se trouve Rüdesheim qui borde le cours romantique du fleuve. Depuis 2002, la Vallée du Haut-Rhin moyen, entre Rüdesheim et Coblence, fait officiellement partie du patrimoine mondial de l'UNESCO.

Das Rheintal von Wiesbaden bis Rüdesheim wird Rheingau genannt und ist der schönste Teil des Hessenlandes. Von Lorchhausen am Mittelrhein erstreckt sich über die sanften Hänge des Taunus und die warmen Böden der Mainmündung bis hin zum Weindorf Wicker, einem Stadtteil von Flörsheim, eine geschlossene Weinlandschaft. Für ein einmaliges Weinklima an den sonnigen Südhängen sorgt Altvater Rhein, der sein ganzes Wohlwollen auf diesen Landstrich ergießt, indem er für ein kurzes Stück seinen Lauf nach Westen lenkt. Erst hinter Rüdesheim nimmt er seinen ursprünglichen Kurs wieder auf – nicht ohne uns eine der schönsten Flusslandschaften Deutschlands geschenkt zu haben. Kein Wunder, dass sich hier die sensible Rieslingrebe zu Hause fühlt und mit großer Frucht heranreift. Typisch für den Rheingau sind die Straußenwirtschaften und Gutsschänken. Hier gönnt man sich einen „halben Schoppen" mit einer Rheingauer Unterlage: einen „Handkäs' mit Musik", „Spundekäs'" oder einen Winzerteller mit Hausmacherwurst.
In unmittelbarer Nachbarschaft zur Industriestadt Rüsselsheim, den meisten durch ihre Opelwerke bekannt, beginnen im Flörsheimer Ortsteil Wicker zahlreiche Routen und Wanderwege. Auf Schusters Rappen führt zum Beispiel der 120 Kilometer lange „Rheingauer Rieslingpfad" bis nach Lorch.

The Rhine Valley from Wiesbaden to Rüdesheim, known as the Rheingau, is the most beautiful part of Hesse. A contiguous winegrowing region stretches from Lorchhausen on the Middle Rhine across the gentle slopes of the Taunus and the warm soils of the Main estuary as far as the wine-growing village of Wicker, a district of Flörsheim. Old Father Rhine is responsible for the unique winegrowing climate on the sunny southern slopes. He pours all his benevolence on to this stretch of land by steering his course westward for a short distance. He resumes his original course past Rüdesheim, but not without first having created one of Germany's most beautiful riverine landscapes. No wonder the delicate Riesling grape feels at home here and ripens with large fruits. A typical feature of the Rheingau are wine bars in private homes and on estates where you can treat yourself to a jug of wine, accompanied by a Rheingau speciality to line the stomach, such as "Handkäs' mit Musik" (marinaded mature cheese with caraway and onions), "Spundekäs'" (cream cheese with onions and paprika), or a wine-grower's platter with home made sausage.

De Wiesbaden à Rüdesheim la vallée du Rhin est appelée «Rheingau» et représente la plus belle partie de la Hesse. Une région de vignobles d'une grande harmonie s'étend de Lorchhausen, en bordure du cours moyen du Rhin, sur les douces collines du Taunus et les sols chauds de l'embouchure du Main jusqu'au village viticole de Wicker, un quartiet de Flörsheim. Le Rhin, «père» de la région, qui déverse toute sa bienveillance sur elle en déviant son cours en direction de l'ouest sur une courte distance, prend soin de faire régner un climat exceptionnel propre à la viticulture sur les versants sud ensoleillés. Ce n'est qu'après Rüdesheim qu'il reprend sa destination originelle – non sans avoir fait cadeau à l'Allemagne de l'un ses plus beaux paysages fluviaux. Rien d'étonnant donc à ce que le Riesling, cépage sensible, se sente chez lui dans cette contrée et qu'il mûrisse en produisant de gros grains. Les «Straußenwirtschaften» (auberge-restaurants signalées par un bouquet de verdure où l'on peut boire du vin) et les «Gutsschänken» sont typiques du Rheingau. On y dégustera un «halber Schoppen» (une demi-chopine de vin) tout en se calant l'estomac avec un «Handkäs' mit Musik» (fromage odorant accompagné d'oignons), un «Spundekäs'» (fromage frais avec oignons, poivre et piment) ou en savourant «l'assiette du vigneron» avec son saucisson fait maison.
Dans le voisinage immédiat de Rüsselsheim, ville industrielle, généralement connue pour ses usines de construction automobile Opel, de nombreux itinéraires et chemins de

Blick auf die Innenstadt von Wiesbaden, der Landeshauptstadt Hessens. Im ehemaligen Stadtschloss der Herzöge von Nassau, dem Eckgebäude mit dem rückwärtigen Kuppelbau links unten im Bild, tagt heute das Hessische Landesparlament. Im höchsten Bauwerk der Landesmetropole, dem 98 Meter hohen Westturm der Marktkirche, verzaubert das Glockenspiel. Rechts oben der Kurpark mit dem 1907 entstandenen Kurhaus.

A view of downtown Wiesbaden, the capital of Hesse: The Hesse state government now sits in the former town palace of the Dukes of Nassau, the corner building at the bottom left of the picture with the domed building at the back. The tallest edifice in the state capital, the 98-metre-high west tower of the Marktkirche, has a delightful carillon. At the top right of the picture are the Kurpark and the Kurhaus, built in 1907.

Vue sur le centre-ville de Wiesbaden, la capitale du land de Hesse. L'ancien château de ville des ducs de Nassau – le bâtiment en coin avec la coupole à l'arrière du bâtiment, à gauche et en bas de l'image – est aujourd'hui le siège du Parlement de la Hesse. Du plus haut édifice de la métropole de cette province, le clocher ouest de la Marktkirche qui atteint 98 mètres de haut, un carillon tinte au grand enchantement des visiteurs. En haut, à droite, le Parc de Cure avec la Maison de Cure construite en 1907.

Als General Eisenhower am 19. September 1945 mit der Proklamation Nr. 2 die Gründung des Landes Groß-Hessen verkündete, wurde Wiesbaden die neue Landeshauptstadt, da sie im Gegensatz zu Kassel, Frankfurt und Darmstadt die alliierten Bombenangriffe relativ unbeschädigt überstanden hatte. Über das frühere Wiesbaden, den einstigen Sitz der Herzöge von Nassau, weiß der Schriftsteller Heinrich Laube 1837 Treffendes zu berichten: „Am Fuße dieses Gebirges in einem Tale kleiner Wellenhügel liegt Wiesbaden breit und reich mit gastlich wirkenden Landhausfassaden, ein wohl genährter, üppiger Anblick südlichern Landes. Alles dehnt sich hier gemächlich und fest wohlhabend zu einem ächten, großen Bade, wo man eine Saison verbringt, um die Schwächen des Winters zu reparieren, im Freien zu frühstücken, Sommerluft mit offnem Munde zu schlürfen oder im prächtigen Kursaale mit fremden Wesen Tänze zu versuchen." Abseits des Mondänen besitzt Wiesbaden viele unauffällige Schönheiten, die auf ihre Entdeckung warten, gepflegte Parkanlagen und repräsentative Villen mit verglasten und schmiedeeisern verzierten Veranden. Die Russisch-Orthodoxe Kirche mit ihren schlanken vergoldeten Kuppeltürmen lockt auf den Neroberg, ebenso die Aussicht auf ein geschlossenes Stadtbild, das sich von hier oben nach einer Fahrt mit der 1888 erbauten

In the immediate vicinity of the industrial city of Rüsselsheim, known to most people on account of the Opel car factory, the Wicker district of Flörsheim is the starting point of numerous routes and hiking trails. For example, you can walk the 120-kilometre Rheingau Riesling Way to Lorch.

When General Eisenhower on 19 September 1945 issued Proclamation No. 2 establishing the state of Greater Hesse, Wiesbaden became the new state capital because, unlike Kassel, Frankfurt and Darmstadt, it had survived Allied air raids during World War II relatively unscathed. Writing in 1837, the author Heinrich Laube had an apt description of how Wiesbaden used to be. "At the foot of this mountain range in a valley of small, undulating hills Wiesbaden lies spread out and rich with hospitable-looking country house façades [and] a well-nourished, luxuriant look of a more southerly region. Everything here stretches out in leisurely and solidly well-to-do style into a really large spa where one spends a season repairing the weaknesses of winter, breakfasting in the open air, slurping summer air with an open mouth, or trying to dance with strangers in the magnificent kursaal." Away from the sophisticated world, Wiesbaden has many inconspicuous attractions

randonnée partent de Wicker, un quartier de Flörsheim. À pied, le «Sentier du Riesling du Rheingau» long de 120 kilomètres mène par exemple jusqu'à Lorch.

Lorsque, le 19 septembre 1945, le général Eisenhower annonça dans sa Proclamation no 2 la fondation du land de Grande-Hesse, Wiesbaden en devint la nouvelle capitale. En effet, au contraire de Cassel, Francfort et Darmstadt, elle avait survécu aux bombardements alliés sans trop de dégâts. L'écrivain Heinrich Laube rapporte très justement en 1837 au sujet de Wiesbaden, jadis siège des ducs de Nassau: «Au pied de ce massif, dans une vallée entourée de collines ondoyantes se trouve Wiesbaden, vaste et riche avec des façades de demeures de campagne accueillantes, tableau opulent d'une contrée méridionale et bien nourrie. Tout ici s'étale complaisamment et forme une véritable ville d'eaux grande et florissante où l'on passe une saison pour réparer les faiblesses de l'hiver, prendre le petit déjeuner à l'air libre, humer l'air de l'été la bouche grande ouverte ou s'essayer à des danses avec des êtres étrangers dans la splendide salle de cure.» À l'écart de la vie mondaine, Wiesbaden possède un grand nombre de beautés cachées qui n'attendent que d'être découvertes, des parcs soigneusement entretenus et des villas représentatives avec leurs vérandas vitrées ornées de fer forgé. L'église russe-orthodoxe, avec ses coupoles dorées et élancées, attirera le visiteur sur le Neroberg. Il sera séduit par la vue qui, du petit

Verantwortlich für den Bau der Russisch-Orthodoxen Kirche der Heiligen Elisabeth auf dem Neroberg in Wiesbaden in den Jahren 1847–55 war Herzog Adolf von Nassau, der anlässlich des frühen Todes seiner Gemahlin, einer 19-jährigen russischen Prinzessin, diese Grabeskirche errichten ließ.

The Russian Orthodox Church of St Elizabeth on the Neroberg hill in Wiesbaden was commissioned by Duke Adolf of Nassau and built between 1847 and 1855. The duke had it built as a funerary chapel after the early death of his wife, a 19-year-old Russian princess.

L'édification, au cours des années 1847–55, de l'église russe-orthodoxe Ste-Élisabeth sur le Neroberg à Wiesbaden est due au duc Adolf de Nassau, qui fit élever cette chapelle funéraire après la mort prématurée de son épouse, une jeune princesse russe de 19 ans.

Der Wiesbadener Kurpark wurde 1852 im Stil eines englischen Landschaftsgartens angelegt. Im Weiher, der mit Bötchen befahren werden kann, befinden sich eine künstliche Insel und eine imposante, sechs Meter hohe Fontäne.

Wiesbaden's Kurpark was laid out in 1852 in the style of an English landscaped park. In the middle of the lake, on which small boats can ply, are an artificial island and an impressive, six-metre-high fountain.

Le Parc de Cure de Wiesbaden fut aménagé en 1852 dans le style des jardins paysagers anglais. Dans le lac que l'on peut découvrir en prenant une petite embarcation, se trouve une ile artificielle ainsi qu'une imposante fontaine de six mètres de haut.

Rheingau und Wiesbaden

The Rheingau and Wiesbaden

Rheingau et Wiesbaden

Bergbahn gut vom Rundtempelchen aus überblicken lässt. Erfrischung und Badefreuden in orientalischem Ambiente bietet das aus dem späten Jugendstil stammende Kaiser-Wilhelm-Bad.

Zum Bild der lieblichen Landschaft des Rheingaus gehören die malerischen Weindörfer, die ehemaligen Klosteranlagen – allen voran die Klöster Eberbach und Johannisberg –, die Kirchen und alten Herrensitze, die überwiegend in der Zeit der Gotik und des Barocks entstanden sind. Zeugen alten Brauchtums sind die Wegkapellen, Bildstöcke und Wegkreuze, die die Weinberge schmücken. Noch zu Lebzeiten des heiligen Bernhard, ab 1135, erbauten die Zisterzienser weitab der Zivilisation und vor den rauen Nordwinden durch die Hänge des Taunus geschützt das Kloster Eberbach. Die Anlage präsentiert sich als eines der eindrucksvollsten und am besten erhaltenen Klöster Deutschlands. Heute ist das Kloster hessisches Staatsweingut und Schauplatz großer Weinversteigerungen, viel besuchter Weinseminare und klassischer Konzerte. Auf einer Wanderung durch Weinberge, Wald und Wiesen leicht zu erreichen, liegt in unmittelbarer Nachbarschaft der mittelalterliche Rheingauer Weinort Kiedrich. Das tausendjährige Weindorf gilt als Schatzkästlein der Gotik und kulturhistorisches Kleinod.

awaiting discovery, along with well-kept parks and prestigious villas with glazed verandahs decorated with wrought iron. The Russian Orthodox Church with its slim gilded towers topped by onion domes attracts visitors to the Neroberg hill, as does the view of Wiesbaden's intact townscape, of which, after taking the mountain railway built in 1888, one has a good view from the small round temple. The Kaiser Wilhelm Baths, dating from the late Art Nouveau period, offers refreshment and the joys of bathing in an Oriental ambience. Picturesque wine-growing villages, former monasteries, above all those at Eberbach and Johannisberg, churches and old stately homes, most of them built in the eras of Gothic and Baroque, are all part of the charming Rheingau scenery. Wayside chapels, roadside shrines and crucifixes adorning vineyards are testimony to old customs. The Cistercians built Eberbach Monastery from 1135, during St Bernhard's lifetime, far away from civilisation and protected by the Taunus slopes from biting north winds. The complex styles itself as one of the most impressive and best-preserved monasteries in Germany. Now, the monastery houses a Hesse state wine-growing estate and is a venue for major wine auctions, well-attended wine seminars and classical concerts. Nearby is the mediaeval Rheingau wine-growing village of Kiedrich, which is easily reached after a walk through vineyards, woods

temple rond accessible par le chemin de fer de montagne construit en 1888, s'ouvre sur toute l'étendue du paysage urbain homogène. Le Kaiser-Wilhelm-Bad, de la fin de l'Art Nouveau, propose rafraîchissement et plaisirs du bain dans une ambiance orientale.

Les pittoresques villages viticoles, les anciens monastères – en tout premier lieu ceux de Eberbach et de Johannisberg –, les églises et les vieilles maisons de maître remontant pour la plupart au gothique ou au baroque – sont indissociables du paysage riant du Rheingau. Témoins de coutumes ancestrales, tels sont, en bordure des chemins, les colonnes oratoires ainsi que les croix au détour des vignobles. C'est à partir de 1135, du vivant de St-Bernard, que les moines cisterciens bâtirent le monastère d'Eberbach, loin de toute civilisation et protégé des vents du nord rigoureux par les pentes du Taunus. Cet ensemble de bâtiments est l'un des plus imposants et des mieux préservés d'Allemagne. Aujourd'hui le monastère abrite un des Domaines viticoles de l'Etat de Hesse et est également le cadre de grandes ventes de vin aux enchères, de séminaires et de concerts de musique classique. Dans le proche voisinage se trouve le village viticole médiéval de Kiedrich que l'on pourra aisément rejoindre à l'occasion d'une promenade à travers les vignobles, les forêts et les prairies. Ayant gardé l'empreinte d'un passé millénaire, il passe pour être un fleuron de l'art gothique et un véritable joyau au plan historico-culturel. Au milieu d'un ravissant

Die Weinbaugemeinden Mittelheim und Oestrich – linke Bildseite –, die für ihre edlen Weine berühmt sind, blicken auf eine lange Geschichte zurück. Von der gegenüberliegenden Seite des Rheins grüßt das rheinland-pfälzische Ingelheim, das sich als „Rotweinstadt" bezeichnet. Im Vordergrund die Rheininseln Fulderaue, ganz hinten die Mariannenaue.

The wine-growing towns of Mittelheim and Oestrich – on the left of the picture – are famous for their fine wines, and can look back on a long history. On the other side of the Rhine is the town of Ingelheim in the Rhineland-Palatinate, which calls itself the "Town of Red Wine." In the foreground are the Rhine islands of Fulderaue, and furthest away Mariannenaue.

Les communes viticoles de Mittelheim et Oestrich – côté gauche de la photo – célèbres pour leur vins nobles, peuvent s'enorgueillir d'un long et fécond passé. Sur la rive opposée du Rhin, s'étend Ingelheim, en Rhénanie-Palatinat, surnommée «Ville du Vin rouge». Au premier plan, les îles de Fulderaue sur le Rhin et de Marienaue à l'arrière plan.

An endlosen, zum romantischen Ufer des größten Flusses Deutschlands steil abfallenden Weinberghängen vorbei führt die Rheinuferstraße von Rüdesheim nach Lorch. Der Ort erlangte als Umschlag- und Stapelplatz in der Rheinschifffahrt und durch den Weinbau Bedeutung und Reichtum.

The road along the Rhine from Rüdesheim to Lorch passes endless vine-covered slopes that drop down steeply to the romantic bank of Germany's longest river. Lorch acquired fame and wealth both as a handling and storage centre for Rhine shipping and thanks to wine-growing.

Serpentant au pied des vignobles qui s'étendent à l'infini sur les versants tombant à pic le long de la rive romantique du plus grand fleuve d'Allemagne, la Rheinuferstraße mène de Rüdesheim à Lorch. Cette localité a acquis importance et richesse grâce à sa fonction de place de transbordement et d'entrepôt dans la navigation sur le Rhin.

Inmitten eines lieblichen Straßenbildes erhebt sich die Pfarrkirche, in der die älteste spielbare Orgel Hessens regelmäßig bei Konzerten erklingt.

Die Geschichte des Weinbaus in den Weinbergen am Elsterbach geht bis auf Karl den Großen zurück. Mainzer Benediktiner errichteten um 1100 hier das erste Kloster im Rheingau. Die romanische Pfeilerbasilika wurde 1130 St. Johannes dem Täufer geweiht, was Berg, Ort und Kloster den Namen „Johannisberg" gab. Nachdem 1563 das Kloster aufgelöst worden war, erneuerten die Fürstäbte von Fulda mit großem Eifer die vernachlässigten Weinberge.

Im Zeichen des Weinbaus steht auch die Stadt Rüdesheim. Wer sich von den Besucherströmen nicht abschrecken lässt und sich abseits der feucht-fröhlichen Drosselgasse bewegt, trifft auf viele stille Winkel und historische Bauten, unter anderem die Brömserburg mit dem Rheingau-Weinmuseum und die Burgruine Ehrenfels. Ein Muss ist die Besichtigung des Niederwald-Denkmals mit der 10,5 Meter hohen Germaniafigur. Am besten erreicht man das pathetische Nationaldenkmal der deutschen Einheit von 1871 von Assmannshausen, der „Heimat des besten deutschen Rotweins", oder von Rüdesheim mit einer Seilbahn.

and meadows. This thousand-year-old village is considered a treasure chest of Gothic architecture and a historico-cultural jewel. The parish church, where Hesse's oldest working organ is played regularly at concerts, towers amidst a pleasant streetscape.

The history of wine-growing in the vineyards along the Elsterbach dates back to Charlemagne. Benedictine monks from Mainz here built the first monastery in the Rheingau around 1100. The Romanesque columned basilica was consecrated in 1130 to St John the Baptist, which is why the hill, town and monastery are all called "Johannisberg" (St John's Hill). After the dissolution of the monastery in 1563, the prince abbots of Fulda showed great zeal in renewing the neglected vineyards.

The town of Rüdesheim is also dominated by wine. Those who refuse to be put off by hordes of visitors and venture beyond the wine-fuelled gaiety of Drosselgasse will find many quiet corners and historic buildings. They include Brömserburg Castle, which houses the Rheingau Wine Museum, and the ruined castle of Ehrenfels. A visit to the Niederwald Monument with its 10.5-metre-tall statue of Germania is a must. The best way to reach this bombastic national monument built to mark the unification of Germany in 1871 is from Assmannshausen, "home of the best German red wine," or by cable railway from Rüdesheim.

ensemble de rues s'élève l'église paroissiale où résonnent régulièrement à l'occasion de concerts les plus vieilles orgues de Hesse encore en état de fonctionner.

L'histoire de la viticulture dans les vignobles en bordure de l'Elsterbach remonte à Charlemagne. Des moines bénédictins venus de Mayence y fondèrent le premier monastère du Rheingau aux environs de 1100. La basilique romane à pilastres fut vouée à St-Jean Baptiste, ce qui donna à la montagne, au village et au monastère le nom de Johannisberg (Montagne de St-Jean). Après que le monastère eut été dissout, en 1563, les princes-abbés de Fulda mirent tout leur zèle à faire renaître les vignobles longtemps livrés à l'abandon.

La ville de Rüdesheim est elle aussi placée sous le signe de la culture de la vigne. Celui qui ne se laissera pas effrayer par les flots de visiteurs et qui se tiendra à l'écart de la Drosselgasse où le vin coule à flots dans la joie et la bonne humeur, découvrira de nombreux coins tranquilles et des monuments historiques, parmi lesquels la Brömserburg abritant le Musée du Vin du Rheingau ou encore les ruines de la forteresse de Ehrenfels. La visite du monument du Niederwald avec la statue de la Germania haute de 10,5 mètres est impérative. Ce pathétique monument national qui célébre l'unité allemande de 1871 est aisément accessible quand on vient de Assmannshausen, la «patrie du meilleur vin rouge allemand», ou encore de Rüdesheim par le téléphérique.

Darmstadts Residenzschloss – links unten im Bild – wurde im 13. Jahrhundert als Wasserburg erbaut und ging 1479 in Besitz der hessischen Landgrafen über. Seit dem 14. Jahrhundert ist der Marktplatz ein wichtiges Handelszentrum der Stadt. Das vor Ort gebraute Bier lässt sich im Sommer im Biergarten vor dem vielgiebligen Alten Rathaus genießen. Dahinter die Stadtkirche mit ihrem 63 Meter hohen Turm.

Darmstadt Palace – at the bottom left of the picture – was originally a moated castle built in the thirteenth century. In 1479, it passed into the ownership of the Landgraves of Hesse. Darmstadt's market square has been an important centre of local trade since the fourteenth century. In summer, you can enjoy a locally brewed beer in the beer garden in front of the many-gabled Old Town Hall. Behind it is the Stadtkirche. Its tower is 63 metres high.

Le château résidentiel de Darmstadt – à gauche, en bas de la photo – fut construit au XIIIe siècle. Il était alors entouré de douves. En 1479, il passa aux mains du landgrave. Depuis le XIVe siècle la Marktplatz (Place du Marché) est un centre commercial important de la ville. La bière qu'on y brasse est consommée, en été dans le Biergarten – le «Jardin à bière» – devant l'ancien hôtel de ville aux nombreux pignons. Derrière, la Stadtkirche surmontée de son clocher de 63 mètres.

Eine Besteigung des für die Stadtsilhouette so charakteristischen Hochzeitsturms (Fünffingerturm) verschafft bei einem Besuch auf der Darmstädter Mathildenhöhe einen ersten Überblick. Als einzigartiges Dokument der Jugendstilepoche entstand hier oben Ende des 19. Jahrhunderts, unterstützt durch die Förderung des Großherzogs Ernst Ludwig, die Darmstädter Künstlerkolonie mit ihren Ausstellungsgebäuden und Atelierbauten. In der Siedlung von Malern, Bildhauern, Architekten und Designern wurden Gegenstände des täglichen Gebrauchs, ganze Wohnensembles, aber auch Goldschmiedearbeiten entworfen, nicht zu vergessen natürlich auch eigenständige Kunstwerke. Die Deutsche Akademie für Sprache und Dichtung ist im Glückert-Haus untergebracht. Jeden Herbst verleiht sie den angesehensten deutschen Literaturpreis, den Georg-Büchner-Preis. Das Alfred-Messel-Haus bietet dem Institut für Neue Technische Form ein stilvolles Ambiente. Gartenarchitektonisch besonders reizvoll ist der Platanenhain auf der Mathildenhöhe. Die Russische Kapelle ließ Zar Nikolaus II. im Jahr 1899 zu Ehren seiner Gattin Alexandra bauen, die aus der Familie des Großherzogs von Hessen-Darmstadt stammte.

Climb the landmark Wedding Tower (Five-Finger Tower) on Darmstadt's Mathildenhöhe hill for an initial overview of the town. A unique record of the Art Nouveau epoch, the Darmstadt artists' colony complete with exhibition rooms and studios, was built up here in the late nineteenth century with financial support from Grand Duke Ernst Ludwig. This colony of painters, sculptors, architects and designers designed objects for everyday use and entire residential ensembles, as well as items of goldwork, and, of course, produced their own art works. The Deutsche Akademie für Sprache und Dichtung (German Academy for Language and Literature) is housed in the Glückert Building. Every year in autumn it awards Germany's most prestigious prize for literature, the Georg Büchner Prize. The Alfred Messel Building provides a stylish ambience for the Institut für Neue Technische Form (Institute for New Technical Design). The Platanenhain (plane grove) on the Mathildenhöhe is an especially attractive example of landscape design. The Russian Chapel was built by Tsar Nicholas II in 1899

Dans le cadre d'une visite de la Mathildenhöhe, à Darmstadt, l'ascension de la Tour des Mariages (Hochzeitsturm ou Tour à cinq doigts) si caractéristique de la silhouette de la ville, permet de se faire une première impression de la ville. Témoignage exceptionnel de l'Art Nouveau à la fin du XIXe siècle, une colonie d'artistes vit le jour à Darmstadt à cette époque. Ils y créèrent leurs propres bâtiments d'exposition et leurs ateliers. Elle bénéficia du soutien financier du grand-duc Ernst Ludwig. Ce groupe de peintres, de sculpteurs, d'architectes et de designers concevait des objets d'usage courant, des ensembles entiers de mobilier mais fabriquait aussi des pièces d'orfèvrerie, sans oublier bien entendu leurs propres œuvres. La Deutsche Akademie für Sprache und Dichtung (Académie allemande de Langue et de Littérature) est logée dans la Glückert-Haus. Chaque année, à l'automne, elle discerne le Prix Georg-Büchner, le plus insigne de tous les prix de littérature allemands. La Maison Alfred-Messel offre à l'Institut für Neue Technische Form (Institut pour une nouvelle forme technique) un cadre élégant. Le Platanenhain (bocage de platanes) sur la Mathildenhöhe est tout particulièrement remarquable sur le plan de l'architecture des jardins. La chapelle russe fut bâtie, en 1899, à l'initiative du tsar Nicolas II en l'honneur de son épouse, Alexandra, descendante de la famille du grand-duc de Hesse-Darmstadt.

Darmstadt und der Odenwald

Das Darmstädter Schloss, das älteste Baudenkmal, steht im Zentrum der Stadt, direkt am historischen Marktplatz. Georg I. erweiterte es nach der Aufteilung Hessens durch Philipp den Großmütigen im 16. Jahrhundert nach französischem Vorbild zu einem Mittelpunkt des höfischen Lebens. Ein Glockenspiel läutet seit mehr als 300 Jahren mit seinen 30 Glocken die halben Stunden ein. Das benachbarte Hessische Landesmuseum stellt umfangreiche Sammlungen zu Kunst, Kulturgeschichte und Natur aus.
Südlich von Darmstadt steigt aus der Rheinebene steil der Odenwald auf, dessen westlicher Rand von alters her als Bergstraße bezeichnet wird. Ein beliebtes Ausflugsziel ist die „strata montana" insbesondere im Frühjahr, wenn das milde Klima die Bäume hier viel früher in bunter Pracht erblühen lässt als anderswo. Durch Obstgärten, Weinberge und zuletzt durch herrlichen Buchenwald führt der Weg von Zwingenberg hinauf auf den Melibokus, mit 517 Metern der ungekrönte König des Odenwaldes. Der Blick vom Melibokus nach Westen auf die Rheinebene, die gegenüberliegende Haardt und den Pfälzer Wald, wie auch der Blick nach Osten über die Kuppen und Wälder des Odenwaldes sind von

Darmstadt and the Odenwald

in honour of his wife Alexandra, a daughter of the Grand Duke of Hesse-Darmstadt.
Darmstadt Palace, the city's oldest architectural monument, stands in the city centre, directly on the historic marketplace. After Philip the Magnanimous partitioned Hesse in the sixteenth century, Georg I had the palace extended in the French style, turning it into a centre of courtly life. For more than 300 years, a carillon with 30 bells has sounded every half hour. The neighbouring Hessisches Landesmuseum shows extensive art, cultural history and natural history collections.
South of Darmstadt, the Odenwald Forest rises steeply out of the Rhine plain. Its western edge has been known since olden times as the Bergstrasse, or Mountain Road. Also called the "strata montana," this route is a favourite destination for outings, especially in spring when the mild climate brings the trees into blossom much earlier than elsewhere, making a colourful show. Passing through orchards, vineyards and finally through superb beechwoods, the route leads from Zwingenberg up to the 517-metre-high Melibokus, the uncrowned king of the Odenwald.

Darmstadt et le Odenwald

Le château de Darmstadt, le plus ancien de ses monuments historiques, se dresse au centre de la ville en bordure directe de la Place du Marché historique. S'inspirant du modèle français, George Ier le fit agrandir au XVIe siècle, après la division de la Hesse par Philippe le Magnanime; il devint alors un centre de la vie courtoise. Depuis plus de 300 ans un carillon retentit qui, avec ses 30 cloches, sonne toutes les demi-heures. Le Hessisches Landesmuseum (Musée du Land de Hesse), son voisin, expose d'amples collections touchant à l'art, l'histoire de la civilisation et la nature.
Au sud de Darmstadt, l'Odenwald dont la lisière ouest est depuis toujours désignée de «Bergstraße», s'élève abruptement de la plaine du Rhin. La «strata montana» est un but d'excursion prisé avant tout au printemps lorsque les arbres se parent, ici bien plus tôt qu'ailleurs, d'une floraison multicolore, en raison de son climat doux. À travers les vergers, les vignobles et, vers la fin du parcours, les magnifiques forêts de hêtres, la route conduit de Zwingenberg au Melibokus qui, avec ses 517 mètres, est le roi non couronné de l'Odenwald. La vue que l'on découvre de ce sommet vers l'ouest, sur la vallée du Rhin, le Massif du Haardt en face, ainsi que sur la Forêt palatine, tout comme le panorama en direction de l'est, par-delà les cimes et les forêts de l'Odenwald sont d'une rare beauté. L'Odenwald intérieur constitue la majeure partie de cette montagne

So muss der Rhein früher ausgesehen haben – eine von auenartigen Seitenarmen durchzogene Flusslandschaft mit unzugänglichen Inseln und Wäldern. In Südhessen auf der Altrheininsel Kühkopf hat sich ein 2400 Hektar großes Rückzugsgebiet für Fauna und Flora erhalten, das auch bei Hochwasser als Überflutungsfläche eine wichtige Aufgabe erfüllt.

This is what the Rhine must have looked like in former times, a fluvial landscape with wetland-like side arms flowing through it, along with inaccessible islands and forests. A 2,400-hectare retreat for fauna and flora has survived in southern Hesse on the island of Kühkopf in the Old Rhine, which also plays an important role as a flood plain at high water.

C'est ainsi que le Rhin se sera probablement présenté autrefois aux yeux du spectateur – un paysage fluvial parcouru de bras latéraux aux berges herbeuses et constellé d'îlots et de bois impénétrables. Dans le sud de la Hesse, sur l'île du Vieux Rhin appelée Kühkopf, une vaste zone de retraite de 2400 hectares de superficie a été sauvegardée pour la faune et la flore. Elle remplit également une fonction importante en période de crue en tant que surface de submersion.

Das im Jahr 741 erstmals erwähnte Michelstadt zählt zu den ältesten Siedlungen des inneren Odenwaldes. Der Bau der Stadtkirche wurde 1461 begonnen und mit dem Kirchturm 1537 beendet. Davor das 1484 im Stil der Spätgotik errichtete weltberühmte Michelstädter Fachwerkrathaus mit Marktplatz und Marktbrunnen.

The first recorded mention of Michelstadt dates from 741, making it one of the oldest settlements in the inner Odenwald. The Stadtkirche was started in 1461 and completed in 1537, when the tower was added. In front of the church is Michelstadt's world-famous, half-timbered Town Hall, built in 1484 in the late Gothic style, along with the market square and fountain.

Michelstadt, documenté pour la première fois en 741 compte parmi les plus anciennes colonisations de l'Odenwald intérieur. L'édification de la Stadtkirche commença en 1461 et s'acheva par la construction du clocher en 1537. À l'avant, le très célèbre hôtel de ville à colombage de Michelstadt, érigé en 1484 dans le style de la fin du gothique ainsi que la Place du Marché et la Fontaine.

seltener Schönheit. Der innere Odenwald bildet den wesentlich größeren Teil des Mittelgebirges. Lang gestreckte Bergrücken, ausgedehnte Hochflächen und von Norden nach Süden verlaufende Kerbtäler sind für diese Landschaft charakteristisch. Zu den Sehenswürdigkeiten zählen im Hessentagsstädtchen Erbach der große Schlossbau (1736) der Familie der Grafen zu Erbach-Erbach, der die Gräflichen Sammlungen mit dem Afrikanischen Jagdmuseum beherbergt, sowie das 1966 eingerichtete Elfenbeinmuseum. Das 1484 erbaute Rathaus von Michelstadt ist einer der schönsten und ältesten Fachwerkbauten Deutschlands.

From here, both the view across the Rhine plain with the facing Haardt hills and Pfälzer Wald forest, and the view eastward across the rounded summits and forests of the Odenwald are sights of rare beauty. The inner Odenwald forms by far the larger part of this low mountain range. Elongated mountain ridges, extensive highlands and north-south V-shaped valleys are characteristic features of the landscape. Places of interest include the large palace of the Counts of Erbach-Erbach, built in 1736. Situated in the small town of Erbach, one of the venues for the annual Hessentag festival, it houses the Counts' collections including the African Hunting Museum. In Erbach, there is also an Ivory Museum established in 1966. Michelstadt Town Hall, built in 1484, is one of the most beautiful, and oldest, half-timbered buildings in Germany.

de moyenne altitude. Des croupes montagneuses toutes en longueur, de vastes hautsplateaux et des vallées entaillées courant dans le sens nord-sud sont caractéristiques du paysage de cette région. Parmi les curiosités, on notera à Erbach, petite ville òu l'on fête chaque année la Journée de la Hesse, le grand château (1736) de la famille des comtes zu Erbach-Erbach. Il abrite les collections comtales avec le Musée africain de la Chasse, ainsi que le Musée de l'Ivoire aménagé en 1966. L'hôtel de ville de Michelstadt, bâti en 1484, est l'un des plus beaux et des plus anciens bâtiments à colombage d'Allemagne.

Fotograf/Photographer/Photographe

Gerhard Launer, geboren 1949, zeigt seit über 30 Jahren als Luftbildfotograf Deutschland aus einer besonders faszinierenden Perspektive.

Gerhard Launer, born in 1949, is an aerial photographer who has been showing Germany from an especially fascinating angle for more than 30 years.

Depuis plus de 30 ans, Gerhard Launer, né en 1949, spécialiste en photographie aérienne, présente l'Allemagne sous une perspective tout particulièrement fascinante.

Autor/Author/Auteur

Matthias Eberhardt, geboren 1960 in Bochum, studierte Medizin und wurde 1989 promoviert. Neben seiner ärztlichen Tätigkeit arbeitet er heute als freier Autor und Reisejournalist in Kassel.

Matthias Eberhardt, born in 1960 in Bochum, studied medicine, taking his MD in 1989. In addition to his medical work, he now works as a freelance author and travel writer in Kassel.

Matthias Eberhardt, né en 1960 à Bochum, a fait des études de médecine et passé son doctorat en 1989. À côté de ses activités médicales, il travaille aujourd'hui en tant qu'auteur free-lance et journaliste de voyages à Cassel.

Titel/Front cover/Couverture

Schloss Spangenberg
Spangenberg Palace
Le château de Spangenberg

Rückseite/Back cover/Quatrième de couverture

Links/left/à gauche:
Frankfurt am Main
Frankfurt am Main
Francfort-sur-le-Main

Mitte/middle/au centre:
Kassel, Orangerieschloss
Kassel, Orangerie Palace
Cassel, château de l'Orangerie

Rechts/right/à droite:
Wiesbaden, Innenstadt
Downtown Wiesbaden
Le centre-ville de Wiesbaden

Impressum

Bibliografische Information der Deutschen Nationalbibliothek
Die Deutsche Nationalbibliothek verzeichnet diese Publikation in der Deutschen Nationalbibliografie; detaillierte bibliografische Daten sind im Internet über http://dnb.d-nb.de abrufbar.

ISBN 978-3-8319-0441-9

© Ellert & Richter Verlag GmbH, Hamburg 2011

Dieses Werk einschließlich aller seiner Teile ist urheberrechtlich geschützt. Jede Verwertung außerhalb der engen Grenzen des Urheberrechtsgesetzes ist ohne Zustimmung des Verlages unzulässig und strafbar. Dies gilt insbesondere für Vervielfältigungen, Übersetzungen, Mikroverfilmungen und die Einspeicherung und Verarbeitung in elektronischen Systemen.

Text und Bildlegenden/Text and Captions/Texte et légendes: Matthias Eberhardt, Kassel
Fotos/Photos/Photographie: Gerhard Launer, Rottendorf
Übertragung ins Englische/English translation/Traduction anglaise: Paul Bewicke, Hamburg
Übertragung ins Französische/French translation/Traduction française: Michèle Schönfeldt, Hamburg
Gestaltung/Design/Maquette: Büro Brückner + Partner, Bremen
Lithografie/Lithography/Photogravure: ORC Offset-Repro im Centrum, Hamburg
Gesamtherstellung/Printing and binding/Réalisation d'ensemble: Offizin Andersen Nexö Leipzig GmbH

www.ellert-richter.de